La memoria

1064

Alicia Giménez-Bartlett,
Marco Malvaldi, Antonio Manzini,
Francesco Recami, Alessandro Robecchi,
Gaetano Savatteri

Viaggiare in giallo

Sellerio editore
Palermo

2017 © Sellerio editore via Enzo ed Elvira Sellerio 50 Palermo
e-mail: info@sellerio.it
www.sellerio.it

2017 maggio seconda edizione

Per il racconto di Alicia Giménez-Bartlett «Un auténtico viaje»
© Alicia Giménez-Bartlett, 2017
Traduzione di Maria Nicola

Questo volume è stato stampato su carta Palatina prodotta dalle
Cartiere di Fabriano con materie prime provenienti da gestione fore-
stale sostenibile.

Viaggiare in giallo. - Palermo: Sellerio, 2017.
(La memoria ; 1064)
EAN 978-88-389-3628-9
853.914 CDD-23

CIP - Biblioteca centrale della Regione siciliana «Alberto Bombace»

Viaggiare in giallo

Antonio Manzini

Senza fermate intermedie

Grazie a Dario B. che di treni ne sa...

«Allora che fa, Schiavone?» il questore lo sorprese alle spalle. Rocco si voltò con il bicchierino di plastica ancora pieno a metà. «Mi prendo un caffè!».

«Non fraintenda», Costa infilò la pennetta nel distributore, «mi riferisco a giovedì» e spinse il pulsante. Schiavone prese tempo sorseggiando la ciofeca amarognola dal colore paludoso. «E non lo so. Giovedì?» non ricordava minimamente cosa sarebbe accaduto giovedì di così importante.

«Eh sì, giovedì» insistette il questore osservando il suo bicchierino che si stava riempiendo di quella sostanza giallastra che la macchinetta si ostinava a chiamare cappuccino, ma che al cappuccino somigliava come un trattore a una Ferrari.

«Giovedì, giovedì, giovedì...».

«Schiavone!» sbuffò il superiore. «Giovedì c'è l'inco...?» e lo guardò intensamente, aspettandosi che il vicequestore proseguisse, ora che l'aveva instradato.

«C'è l'incontro...?».

Costa annuiva. «Ottimo, Schiavone. Perché c'è l'incontro per la fe...».

«Per la fede?» azzardò Rocco.

13

«Ma quale fede e fede! Comunicare con lei mi debilita».

«Dottor Costa, le confesso che non ho la più pallida idea di cosa mi stia parlando».

«La festa del centosessantunesimo anno dalla fondazione della polizia di stato!».

«Ammazza, sò già passati 161 anni? Come vola il tempo, dottore».

Costa non apprezzò. Tolse la bevanda ormai pronta dal distributore. «E la celebriamo come sempre in questura. Ho fatto girare la circolare, lei non legge le circolari?».

«Sempre, dottore».

«Ma ha memoria corta».

«Purtroppo la mia memoria è ottima, dottor Costa».

«Daremo anche un premio ai poliziotti che si sono distinti durante l'anno».

Rocco accartocciò il suo bicchierino di plastica e lo gettò nel secchio. «La prego, non mi dica che...».

«No, tranquillo, lei non è nella lista. Ci mancherebbe» e sorrise a bocca chiusa. «Però deve partecipare. Ci sono i giornalai, le autorità, procura, regione eccetera eccetera. Ah, e quest'anno ho incaricato il vice-ispettore Rispoli di preparare anche un rinfresco. Che non si dica che abbiamo il braccino corto».

«Ottimo, dottore. Ora se permette torno al lavoro».

«Vada, vada» finalmente sorseggiò il cappuccino. Una smorfia di disgusto si dipinse sul volto abbronzato del questore. «Schiavone, lei crede che ci siano i termini per una denuncia ai gestori di questa macchinetta per tentato omicidio? Questo è veleno!».

«Credo proprio di sì» e sorridendo Rocco si avviò verso la sua stanza.

Appena entrato si fiondò alla scrivania, tanto che Lupa si risvegliò dalla pennichella e abbaiò due volte.

«Niente, Lupa, qui bisogna cercare... dov'è? Dov'è?» cominciò a scartabellare fra fogli di carta e la posta lasciata lì da giorni. Lettere della banca, un paio di bollette, la famosa circolare del questore che appallottolò e gettò a Lupa. «Dove l'ho messa? Sono sicuro che era qui. L'ho ricevuta l'altro ieri!». Altri fogli misteriosi, appunti presi con una grafia da medico condotto. Niente, non trovava niente. Aprì un cassetto. Agende, post it da riempire, penne e pennarelli. «Giuro che era qui! Chi tocca le mie cose?» urlò, sapendo perfettamente che nessuno, neanche le donne delle pulizie, osavano sfiorare quella scrivania. Poi la vide. La lettera da Roma. Sorridendo e con gli occhi illuminati la alzò verso il soffitto, come fosse il Graal. L'ossigeno tornava nei polmoni. «Eccola!».

Era la convocazione che aveva ricevuto una settimana prima dal condominio di via Poerio, Monteverde Vecchio, Roma, casa sua. Veniva indetta una importantissima riunione per il rifacimento della facciata storica del palazzo. Giorni prima, appena l'aveva letta, aveva imprecato. C'erano i preventivi, il nulla osta delle belle arti. A lui che di millesimi condominiali ne aveva una barca spettava la cifra più onerosa: 50.000 euro da pagare in due comode rate. La riunione in seconda convocazione era proprio per giovedì! Lo ricordava bene. Non aveva intenzione di parteciparvi, una riunione condominiale si stanziava all'ottavo grado della scala delle rotture di coglioni. Ma rispetto a una festa della polizia in questura, nono grado pieno con una tendenza al nove e mezzo, l'assemblea condominiale era una passeggiata. E poi una spesa così esagerata richiedeva la sua presenza. Avrebbe dovuto affrontare i coniugi Salmassi, le mummie sorde del secondo piano di cui nessuno conosceva l'età, anche se Ines la portiera raccontava di aver visto una volta una foto del marito in camicia di orbace e fez in testa. E anche la famigliola De Luca, del primo piano. Una coppia di idioti che avevano anche avuto il pessimo gusto di figliare mettendo al mondo altri due idioti di 9 e 11 anni. E poi c'era la vedova Ardenzi. Una donna cattiva, con gli occhi di serpente e i capelli verdognoli, l'oro al collo e l'acido nelle vene. Senza pensare a Guido, un ex infermiere che aveva accudito il vecchio che abitava all'interno 18. Quello poi era morto e Guido, detto il merda, era riuscito a farsi intestare la casa rubando documenti e brigando al comune. Rocco s'era ripromesso tante volte di andare in fondo alla faccenda perché Guido detto il merda gli era parecchio antipatico e il fatto che con un sotterfugio si fosse preso gratis una casa da 600.000 euro lo mandava in bestia. Guardò la lettera di convocazione. Strinse fra le mani la sua salvezza. Il questore avrebbe capito.

«50.000 euro, dottore, le pare che posso assentarmi?».

Costa leggeva il foglio e scuoteva la testa. «E non può delegare l'amministratore di condominio?».

«Ma è pazzo? Lo sa come funzionano 'ste cose? Sono loro i primi a mangiarci. Chiamano la ditta amica e prendono la stecca. Almeno a Roma spesso le cose vanno così».

Il questore restituì il foglio. «È un falso che ha appena prodotto lei o devo crederle?».

«Dottore, lei si fida molto poco di me».

«E faccio male?».

«Malissimo. Cosa crede, che è divertente prendere il treno, andare a Roma, partecipare a una riunione condominiale, no dico, ri-u-nio-ne con-do-mi-nia-le e poi tornare al lavoro? Me lo dica lei!».

«Per carità, io ci mandavo mia moglie» e il viso di Costa si rannuvolò. Pensava a sua moglie fuggita con un cronista de «La Stampa», ora giornalista anche lei. Un tradimento che il dirigente non aveva mai mandato giù. «Ma come lei saprà» riprese dopo una tirata di naso, «mia moglie non c'è e allora tocca a me. No, partecipare a una riunione condominiale è terribile. Ecco perché la prossima casa che prendo sarà un villino. Almeno il condominio sarò solo io!».

«Quindi tutti d'amore e d'accordo, no?» scherzò Rocco.

«Mica è detto, Schiavone. Spesso mi contraddico. Lei non si contraddice mai?».

«Sono una contraddizione vivente».

«Bene» e Costa allungò la mano, «vada a Roma e ci vediamo quando torna. In bocca al lupo!».

«Buona festa, dottore». Rocco gliela strinse e uscì dalla stanza con l'animo sollevato.

E con lo stesso animo sollevato se ne stava seduto al

bar di Ettore nella piazza centrale a prendere un caffè degno di quel nome. Quando non aveva niente da fare, osservava il viavai della gente. Gli piaceva guardare le persone, com'erano vestite, il modo di camminare, vizi di postura, incertezze e soprattutto lo sguardo. C'era chi lo teneva a terra, chi perso col naso all'insù guardando il cielo, chi invece lo nascondeva dietro gli occhiali da sole. Si immaginava la vita e il carattere di quegli estranei provando a indovinare con la sola osservazione di un passo o di un'occhiata. Supponeva timidezze, arroganze, incertezze, di ognuno ipotizzava la vita, i sogni, le difficoltà e le speranze. Chi parlava con la mano davanti al cellulare, chi invece a piena voce fregandosene che gli altri ascoltassero i suoi fatti privati. Chi gettava occhiate furtive, chi sembrava avesse paura di schiacciare delle uova disseminate sul marciapiede, chi era orgoglioso del suo cane, chi del suo didietro o delle labbra fresche di sala operatoria. Poi lontano vide una figura familiare. Camminava a testa in giù, ad ampie falcate, immerso nei suoi pensieri. Ogni tanto si passava la mano fra i capelli aggiustandosi il ciuffo. Aveva i pantaloni a quadretti, la giacca a righe e una camicia rosa. Non c'era bisogno di aspettare che alzasse il viso per riconoscerlo. La foggia e la leggera zoppia alla gamba destra e le scarpe slacciate non potevano che appartenere ad Alberto Fumagalli, l'anatomopatologo livornese, che avanzava tenendo una linea dritta che idealmente avrebbe tagliato in due la piazza. Avrebbe, perché a una decina di metri quella retta immaginaria del percorso del medico incocciava con il secondo lampione della piazza. Pochi secondi e ci sarebbe stato l'impatto. Fumagalli guardava fisso in terra, il palo del lampione era sempre più vicino. Rocco si girò verso il suo vicino di tavolino: «Dieci euro che lo prende in pieno». Quello lo guardò senza capire. E invece Alberto con un'abile e improvvisa veronica evitò l'ostacolo e riprese a camminare nella direzione prestabilita. «Sbagliato» fece Rocco finendo il caffè. «Se c'era Sebastiano m'ero giocato dieci euro...». Alberto alzò lo sguardo. Riconobbe Schiavone ma non sorrise. Deciso, deviò dal suo binario invisibile per avvicinarsi al tavolo. «Lo stipendio a fine mese lo vai a prendere col passamontagna?».

«Situazione tranquilla» rispose Rocco allargando le braccia. «Te invece? Prima volta che ti vedo in giro e non in obitorio».

«Situazione tranquilla. Talmente tranquilla che mi sono preso le ferie» alzò una mano, «tre giorni. Vuoi sapere dove vado?».

«No».

«Te lo dico uguale. Nella tua città. C'è una mostra di Cézanne parecchio interessante e un concerto... ma questo non è roba per te, non ci arrivi, è musica colta».

«Mi sottovaluti».

«Ah sì?» si sedette al tavolino e guardò il vicequestore negli occhi. «Allora due composizioni di Gervasoni e una di Boccadoro».

Rocco lo guardò in silenzio. «No, non ci arrivo».

«T'ho detto! Vatti a sentire gli Spandau Ballet e non metterti in cose più grandi di te».

«Sei rimasto indietro, gli Spandau non esistono da anni. Anche io vado a Roma. Scendo mercoledì».

«Io pure. Torino-Milano-Roma Frecciarossa?».

«Esatto».

«Mica vorrai prendere il posto accanto al mio?».

«Tranquillo, vado in prima classe, non metterti in cose più grandi di te».

«Ah» Fumagalli fece una smorfia. «Mi vai in prima».

«Certo. In seconda parlano tutti al cellulare ad alta voce, scendi stanco e rincoglionito. Vado a una riunione condominiale, la prima classe è d'obbligo».

«Allora ci si vede sul treno?».

«Se proprio dobbiamo».

L'anatomopatologo si alzò. «La prossima volta fa' almeno il gesto di offrirmi un caffè» girò le spalle e si allontanò. «Mica ti porterai il cane» disse ammiccando a Lupa.

«Che dici Lupa, vuoi venire in treno o te ne stai da Caterina?».

Lupa scodinzolò felice. «Ricevuto».

La prima parte del viaggio in auto con Deruta dalla questura di Aosta a Torino Porta Nuova era stata devastante. L'agente aveva guidato in autostrada alla velocità di 90 chilometri all'ora e alla prima sigaretta di Rocco era stato aggredito da un attacco di tosse talmente violento che dovette cedere il volante al vicequestore. E finalmente la velocità di crociera aumentò di 40 chilometri orari. Salito sul treno però sembrava che la giornata avesse cambiato segno. Nel vagone erano solo in quattro. Rocco sapeva che c'era poco da sperare. A Milano sicuramente si sarebbero aggiunti altri passeggeri. Poi il treno avrebbe tirato dritto fino alla stazione di Roma Termini senza fermate intermedie. Il vicequestore si sedette. I sedili erano comodi e nella carrozza numero 2 regnava un silenzio piacevole e un odore di pulito. Evitò con accortezza il caffè del carrellino e provò a leggere le notizie sul cellulare, ma il wi-fi del treno, come spesso succedeva, non funzionava. Dovette appropriarsi di un quotidiano per scorrere qualche notizia, ma a parte questo fino a Milano filò tutto liscio. Lì come c'era da aspettarsi salirono un sacco di persone che riempirono quasi metà carrozza. Rocco si trovò a ritirare le gambe per non intrecciarle a quelle di un ragazzo pieno di piercing che cercava di sistemare la custodia di una chitarra sulla cappelliera. Accanto gli si sedette una donna con gli occhiali da sole che a giudicare dalla puzza di aglio che emanava, la sera prima doveva aver ingollato 18 bruschette. Rocco non poteva sostenere la puzza di aglio emanata dalla pelle. Non avrebbe resistito fino a Roma con quella accanto che, una volta preso posto, aveva tirato fuori un pacco enorme di riviste di moda e cominciato a sfogliarle umettandosi l'indice della mano destra a ogni pagina, cosa che a Rocco faceva schifo. Era un gesto che sua zia Annarella, aiuto pescivendola al mercato di piazza San Cosimato, eseguiva ieraticamente ogni volta che le capitava «Oggi» o «Gente» per le mani. Si sedeva con le spalle alla finestra e alzando le sopracciglia in tono altezzoso cominciava a sfogliare la rivista ciucciandosi il dito e fracicando il giornale. Muoveva la testa da destra a sinistra mentre girava la pagina. Guardava solo le figure, s'era fermata alla terza elementare e a malapena sapeva leggere il suo nome, però commentava con risolini sarcastici gli articoli. Le sue mani puzzavano perennemente di pesce. Quell'odore terribile di marcio tornava alle narici di Rocco ogni volta che qualcuno praticava il volta-pagina inumidito, e se alla puzza di pesce marcio si aggiungeva l'aglio della bruschetta l'effetto poteva essere devastante. Si sentì appestato, la camicia, i pantaloni, perfino i capelli contaminati da quel tanfo. «Mi scusi!». Si alzò in piedi e si scrostò dalla trappola olfattiva. Doveva andare al bagno a lavarsi almeno le mani, poi avrebbe rischiato un caffè alla carrozza bar e infine avvertito il controllore di trovargli un altro posto lontano dalla bruschettara.

Il bagno della carrozza 2 era fuori servizio. Rocco alzò gli occhi al cielo e proseguì verso la numero 5, quella del bar. Incontrò altre toilette, tutte in funzione ma occupate. Si annusò le mani. Sapeva che puzzavano di pesce o di aglio. E infatti. Con una smorfia di disgusto se le allontanò dal viso. Un addetto alle pulizie in tuta da lavoro e un secchio in mano gli cedette il passo. «Senta» gli disse il vicequestore, «il bagno della carrozza 2 è fuori servizio, e gli altri occupati».

«Che posso fare?».

«Ce l'ha un po' di sapone?».

Quello lo guardò senza capire.

«Mi devo lavare le mani con urgenza!».

«Al prossimo vagone c'è il bagno».

«Sì, ma guardi» e Rocco gli indicò la lucina rossa accesa. «È occupato pure quello».

«Eh sì, è una cosa strana, appena il treno si muove tutti al bagno!» notò il ragazzo con una punta di tristezza. «E non le dico cosa ci tocca pulire... lasciamo perdere, va'!».

«Allora ce l'ha del sapone qui con lei?».

Quello alzò le spalle. «Veda un po' se va bene questo. Lo uso io per disinfettarmi».

Gli allungò un flaconcino con dentro del gel trasparente. «Che è?». Rocco avvicinò il naso. Una smorfia di disgusto. «Sa di mela, schifo! Mela con aglio e pesce, è terribile! No, vabbè, lasci perdere» e continuò per la sua strada.

Sballonzolato dalla velocità del treno entrò finalmente nella carrozza bar. «Due caffè per favore. Uno lo bevo, l'altro mi dia solo la cialda».

L'addetto al bar lo guardò stranito. «E che ci deve fare?».

«Lei non si preoccupi. Lo pago. Mi dia la cialda!».

«Come vuole lei» fece quello alzando le spalle e consegnandogli un piccolo cilindro di plastica. Rocco lo afferrò e tolse la sicurezza di alluminio.

«Lo lecchi?» fece una voce alle sue spalle. Rocco neanche si voltò. «No, Albè, mi serve per un'altra cosa».

Fumagalli si mise ad osservarlo. Schiavone si rovesciò la polvere di caffè sulle mani, poi cominciò a sfregarle.

«Dio bono, tu non stai bene».

«Lascia perdere...». Finita l'operazione spolverò nel lavandino la polvere restante e infine si annusò le mani. «Ahhh! Sì, il caffè spazza tutto via! Senti che meraviglia!» provò ad avvicinare le mani al naso dell'anatomopatologo, ma quello si ritrasse. «Ma va' via, va'... Mi fa un caffè pure a me?».

«Certo. Intanto il secondo caffè, dottore. Lo beve o ci si lava i denti?».

Rocco mise delle monete sul bancone. «A lei...».

«Ma che ha toccato?» gli chiese il barista del treno contando il resto.

«Sapevano di aglio» rispose Rocco. «Una cosa schifosa». Bevve il caffè. «Più o meno come 'sta ciofeca!». Il barman sorrise. «Non lo dica a me. Sono di Caserta e a fare il caffè con questo trabiccolo mi viene da piangere...».

«Come va il viaggio, Fumagà?».

«Male. Parlano tutti al cellulare e sono dietro ad un bambino che urla».

«Il bimbo che urla è un ottavo livello pieno. Ottavo livello. Una volta me ne capitò uno di tre anni in aereo. Gridava che sembrava lo stessero operando senza anestesia. Poi alla fine voleva solo il cavalluccio. Dico io, tu mamma, tu padre...».

«Ce l'hai con me?».

«È un modo di dire. Tu madre sai che quello vuole il cavalluccio? E dagli il cavalluccio e non spaccare le orecchie a mezzo boeing... invece fino a Dublino niente!».

Fumagalli tracannò il caffè. Si rivolse al barman: «Il mio amico ha ragione. Questa è una ciofeca vera! Vabbè, me ne torno al mio posto. In seconda classe, in mezzo alla gente che urla al cellulare, ai bambini che piangono e a quelli che si addormentano e russano con la bocca aperta».

«Ci sono anche in prima, amico mio. È solo questione di fortuna!».

«Io preferisco le penne lisce!...».

Il treno sfrecciava nella pianura avvolta da una nebbia delicata che lasciava intravedere alberi e case ma non l'orizzonte o il cielo. Rocco s'era allontanato di una decina di poltrone dal vecchio posto ma era capitato davanti a un uomo che continuava a parlare al cellulare a voce alta.

«Le penne rigate non lo so... mi danno idea di... come? Lo so che prendono meglio il sugo...». Era da mezz'ora che parlava e sbraitava. Schiavone cercava di leggere il «Corriere», gentile omaggio delle Ferrovie dello Stato, ma concentrarsi era impossibile.

«Dici? Appena torno me lo compro anche io. A proposito, ieri grande partita, eh? Non se l'aspettava l'avvocato di perdere così... no no, pure tu hai giocato bene».

Rocco si sgranchì il collo, le mani, respirò profondamente, guardò fuori dal finestrino.

«Il gol che hai fatto? Un capolavoro!» gridava quello. Il vicequestore abbassò il giornale e scambiò uno sguardo con una signora elegante che alzò gli occhi al cielo evidentemente anche lei infastidita dal vocione dell'uomo al cellulare.

«Ancora con la Fiat? Ancora con la Fiat?».

Rocco si alzò. Il tipo era sui 40 anni, capelli cortissimi, pizzetto disegnato, giacca e cravatta, girava distrattamente le pagine di una rivista. «Fa' come vuoi, solo scordati i consumi ridotti...».

Rocco riuscì ad attrarre la sua attenzione. Gli fece cenno di abbassare un po' la voce. Quello lo guardò sorpreso. «Aspetta un attimo, Luca» fece al telefono. «Dica?».

«Può abbassare un po' la voce, per favore?».

«La voce? Perché, sto urlando?».

«Se glielo chiedo evidentemente sì». Un sorriso e il vicequestore riprese il suo posto. La signora elegante lo ringraziò con un piccolo cenno del capo e tornò a leggere il libro.

«Dai Luca, ma allora sei fuori! Le hai detto così! Ahahahahah».

No, non aveva capito. Meglio, aveva ignorato la cortese richiesta di Rocco Schiavone. Si rialzò dal sedile. «Mi scusi?».

L'uomo alzò gli occhi al cielo. «Scusa Luca» poi esasperato tornò a guardare Schiavone. «Che c'è!».

«C'è che lei sta urlando. E sta dando fastidio a tutti. Le ho chiesto di abbassare il volume, ma non mi ascolta».

«Solo a lei do fastidio?».

«No. Alla signora laggiù per esempio, e se dà un'occhiata agli altri passeggeri...» l'uomo si affacciò nel corridoio. Lo stavano guardando tutti in cagnesco. «Ecco, si rende conto che sta disturbando l'intero vagone? Per favore, cosa le costa abbassare la voce?».

«Vabbè, saranno cinque minuti, ora finisco la telefonata e...».

«Lei sta parlando da una buona mezz'ora».

L'uomo non disse niente. Si rimise a parlare con l'amico. «Scusa Luca, allora appena arrivo a Roma ti chiamo. Qui ci sono persone dall'udito sensibile...» ridacchiò.

Rocco si girò verso la signora che scuoteva la testa. Il vicequestore allargò le braccia «Me lo dica lei signora, che devo fare?».

«Non lo so» rispose quella, «lo vuole picchiare?».

«Che ci vuoi fare, Luca? La gente non si fa i cazzi suoi. Comunque non riesco ad andare on line, cercalo tu il ristorante, per favore!».

Rocco strinse i pugni. Stava per avventarsi sul disturbatore quando l'urlo di una donna dall'altra parte della carrozza gelò il sangue di tutti. «Aiuto!». Rocco si voltò cercando di individuare la fonte di quel grido. Anche altri passeggeri si erano alzati in piedi. «Aiuto! Aiuto!». Il vicequestore si fece strada nel corridoio e arrivò finalmente al suo vecchio posto. La donna bruschetta s'era tolta gli occhiali, il ragazzo coi piercing era pallido come uno straccio. Nei quattro posti alle loro spalle una donna anziana continuava a gridare mentre un uomo sui 50 cercava di calmarla: «Basta mamma, calmati. Calmati adesso!». La donna teneva stretto tra le mani inanellate un piccolo beauty case di pelle blu. Nel viso rugoso spuntavano gli occhi terrorizzati, grandi, verdi come smeraldi. «Aiuto!». Davanti alla madre e al figlio, un trentenne brizzolato che lavorava col notebook era congelato dal terrore.

«Che succede?» gridò Schiavone.

«Mi hanno rubato tutto. Tutto!» rispose la donna con la voce querula.

«Come tutto? Che dice?».

«Mamma, mamma, per favore calmati».

La donna cominciò a tremare per tutto il corpo.

«Si alzi!» ordinò Rocco al trentenne, che afferrò il suo computer e cedette il posto al vicequestore. «Signora! Signora!».

«Mamma per favore...» e quella abbassò le palpebre chiudendosi come un fiore al tramonto. «Mamma? Mamma!».

Il figlio era seduto accanto a sua madre. Le teneva la mano che spuntava dal cappotto verde che il controllore insieme a Schiavone avevano steso come un sudario sulla donna. Piangeva in silenzio, gli occhi erano diventati rossi. Il treno continuava la sua corsa. Avevano sgombrato il vagone e trasferito tutti i passeggeri nella carrozza numero 3. Il capotreno era corso ad avvisare Roma Termini per l'organizzazione del trasporto della salma. «Avvertiamo i gentili passeggeri che al centro del treno è attivo il bar dove potrete trovare caffè, panini e bibite... Frecciarossa ringrazia...» la voce asettica della speaker risuonava nelle casse mentre i monitor indicavano che non mancava troppo a Bologna.

«Si potrebbe almeno spegnere 'sta voce in questa carrozza?» chiese Rocco al controllore che allargò le braccia. «Non... non credo».

«E allora magari interrompiamo gli annunci. Se n'è accorto che abbiamo un morto?».

Il controllore annuì e si avviò verso la testa del treno. Dall'altra parte della carrozza fece il suo ingresso Fumagalli con il trolley e una valigetta. Scambiò un'occhiata con Rocco, poi fece gentilmente alzare il figlio della donna. «Per favore... sono un medico... posso dare un'occhiata?».

Il figlio, come se braccia e gambe si muovessero autonomamente, si alzò cedendo il posto a Fumagalli che subito scoprì il corpo.

«Venga con me» fece Rocco e prese sottobraccio l'uomo sconvolto per portarlo nella carrozza 1.

«Chi... chi è?» chiese il figlio.

«È un medico. Un mio amico. Venga, venga con me».

«Un medico? È tardi per un medico, no?».

«Non per quel tipo di medico».

Erano seduti nel piccolo scompartimento di servizio. Flavio Sommaruga, il figlio della vittima, beveva un tè. Il capotreno si passava la mano sulla testa pelata e soffiava dal naso come un motore a vapore.

«Mamma era cardiopatica» disse Flavio, «era questione di tempo... prima o poi...».

«Io intanto ho chiamato in stazione. Stanno organizzando tutto» fece il capotreno. «Lei, dottor Schiavone...».

Rocco non diede il tempo al capotreno di formulare la domanda. «Che cosa hanno rubato?».

«Eravamo andati a Varese... mia zia, la sorella di mamma, è morta quattro giorni fa... aveva 85 anni. Stavamo tornando a casa dopo i funerali. Mamma aveva preso le gioie di zia, le aveva messe nel beauty e all'improvviso s'è accorta che il sacchetto di velluto non c'era più...».

Il capotreno abbassò la testa. «Cosa c'era nel sacchetto?».

«Gioielli. Antichi. Di valore, sa? Insomma, io non me ne intendo, ma a sentire mamma c'erano rubini, anelli d'oro. Tutti ricordi di famiglia».

Il capotreno si limitava ad annuire a testa bassa.

«Mamma dormiva. Io leggevo il giornale. Non mi sono accorto di nulla. Solo all'improvviso l'ho vista chinarsi per prendere il beauty, come se avesse avuto un presentimento, e infatti i gioielli non c'erano più».

«Signor Sommaruga, posso farle una domanda?».

«Certo» rispose quello.

«Avete aperto il beauty prima di salire in treno? Oppure mentre eravate a bordo? Ci pensi bene...».

L'uomo si guardò le mani. «Non mi pare».

«Sicuro?».

«Sto pensando... ah sì, certo. Mamma prima di salire ha preso il pacchetto di preziosi che era in valigia per metterlo nel suo beauty... sì, le ho anche detto che doveva stare tranquilla, che non sarebbe successo niente, e invece... povera mamma» e scoppiò a piangere silenzioso. Solo lo sterno si muoveva come sconquassato da colpi che qualcuno menava dall'interno della cassa toracica.

Rocco si alzò. «Va bene, signor Sommaruga... ora lei resti qui, si beva il tè e cerchi di calmarsi» poi fece un cenno al capotreno che si alzò e lo seguì fuori dallo scompartimento.

«Come si chiama?».

«Io? Muslera Ferdinando».

Rocco lo guardò. «Senta un po', Muslera Ferdinando, lei che mi dice?».

«Che le dico? Che sono stufo! È il terzo furto nel giro di un mese, porco Giuda ladro. E a me è la seconda volta che capita!».

Il treno prese un paio di scossoni. Rocco si appoggiò al vano portabagagli. «Va bene, questo fino a Roma non ferma, giusto?».

«Giusto, dottore... e allora? Che fa? Il ladro è a bordo di sicuro, si mette a perquisire tutti i viaggiatori? Saranno 300».

«Non solo, signor Muslera, non solo. Anche la refurtiva è ancora a bordo. Qui i finestrini non si aprono. Abbiamo meno di tre ore per trovare qualcosa. Io direi di darci da fare».

«Come posso aiutare?» chiese il capotreno.

«Lei ce l'ha una lista dei nomi dei passeggeri?».

«Sì, basta guardare i biglietti».

«E chiamando Roma può rimediare la lista degli altri due treni, quelli dove sono avvenuti ultimamente i furti?».

Muslera allargò le braccia. «Non lo so se c'è. Ci posso provare».

«Ci provi. Dobbiamo fare una breve fermata a Bologna. Facciamo salire due agenti della Polfer che mi tornano utili, ma mi raccomando, aprite una sola porta. Nessuno, dico nessuno, deve lasciare il treno!».

«Signorsì!» rispose il capotreno che evidentemente aveva fatto il militare.

31

«Un'ultima cosa. Se devo fumare?».

«Qui non si può».

«E io come faccio a lavorare?».

«Non lo so... beva dell'acqua, no?».

«Col cazzo...».

Trovò Fumagalli accanto alla donna. «Cosa vuoi che ti dica, Rocco? Se n'è andata con un infarto».

Rocco annuì. Un uomo anziano faceva dei cenni dal fondo del vagone.

«Sì? Che c'è?».

«Dottore, mi scusi. Devo prendere una pillola, ce l'ho nella valigia. Posso?».

«Prego».

Facendo molta attenzione l'anziano si avvicinò poggiandosi agli schienali delle poltrone fino a raggiungere il suo posto. Era proprio accanto a quello della donna, solo dall'altra parte del corridoio.

«Lei ha visto qualcosa?» gli chiese Rocco

«No... niente... solo all'improvviso la signora ha urlato...».

«E mi dica, si ricorda chi era seduto dietro alla signora?».

«Nessuno. Lo so perché mi ci volevo mettere io. Non mi piace stare seduto in senso contrario di marcia. Lì c'erano due posti vuoti e comodi per me...» l'uomo si mise a cercare nella sua valigia. Trovò le pillole e con un sorriso si accomiatò. Rocco aspettò che fosse a distanza, poi si rivolse ad Alberto: «Pare sia il terzo furto in poco tempo. Chiunque sia stato è uno organizzato. La cosa l'ha già fatta e evidentemente ha funzionato. Vuoi darmi una mano?».

«Perché no?».

«Allora guardati intorno. Che vedi?».

Fumagalli obbedì. «Carrozza vuota, qualche curioso che ci sta osservando dalla porta a vetri laggiù, l'anziano che è arrivato senza spaccarsi il femore alla fine del vagone, fuori mi pare l'Appennino, il che significa che fra un po' arriviamo a Bologna, e che altro? Niente!».

«Io vado a fumare».

«Non si può!».

«Vado nel bagno e copro con la plastica il rilevatore di fumo. Vieni con me?».

«Nel bagno? Secondo te ho voglia di chiudermi in una camera a gas?».

La sigaretta aveva un brutto sapore, Rocco la spense al secondo tiro. Prima di tornare nella carrozza 2 fece un salto in quella successiva. Ancora in piedi, sconvolto, trovò il trentenne che lavorava al notebook. Sembrava tremare. «Mi scusi... perché non si siede?».

«Eh?».

«Vicequestore Rocco Schiavone, polizia di stato. Lei è?».

«Storti. Francesco Storti. Ma che è successo?».

«Lei era seduto davanti alla signora. Ha visto niente?».

«No... niente». Gli occhi tondi e distanti con mezza palpebra calata, la bocca grande e senza labbra che pareva un taglio netto a unire le due guance, il collo grasso, nel bestiario di Rocco Schiavone questi dettagli catalogavano il giovane alla voce Hyla arborea, comunemente detta raganella.

«All'improvviso mentre lavoravo l'ho sentita urlare... poi tremava, tremava... non me lo scordo più».

«Mi dica se ha notato qualche movimento strano poco prima del fatto».

Storti abbassò gli occhi, stava cercando di radunare le idee. «No dottore, proprio no... sono salito a Milano, ho preso posto, loro erano già seduti, ho aperto il computer e mi sono messo a lavorare. Niente di più. Mi dispiace non poter aiutare, mi dispiace proprio... ma che è successo?».

«Un furto».

A Bologna erano saliti due agenti della polizia ferroviaria che ora se ne stavano seduti qualche poltrona più in là del cadavere. Rocco il capotreno e Alberto erano davanti a un mucchio di fogli e a un portatile.

«Ecco» fece Muslera, «questa che ho sul pc è la lista dei passeggeri. E questo foglio è la lista di uno dei due treni dov'è avvenuto il furto la settimana scorsa. L'altra me la mandano fra poco».

«Mica vorrai controllarli tutti?» chiese Fumagalli.

«Facciamo così» propose il vicequestore. «Alberto legge il nome, lei signor Muslera lo scrive sul pc e lo cerca nella lista del treno di una settimana fa. Trovate una coincidenza, segnate il nome. È facile».

«Che palle» mormorò Alberto. «Non sono manco in ordine alfabetico, c'è da diventare scemi...».

«Va bene. Allora comincio con la prima classe. Rossella Tito...».

«Non c'è» fece il capotreno.

«Barzucchi Luca...».

«Come sopra».

«Schiavone Rocco...».

«Che sono io e quindi saltatelo».

Il vicequestore si era alzato e avvicinato al posto 8A, quello della vittima. Il figlio le era seduto accanto e aveva ripreso la mano di sua madre. Se ne stava con gli occhi chiusi mentre la testa dondolava al ritmo delle rotaie. Rocco guardò i posti alle spalle, il 6A e il 6B. Si mise seduto proprio dietro la donna. Si chinò. Da sotto il sedile riuscì a scorgere i piedi della vittima. A terra la moquette era pulita, come pulito era il sedile. Allungò una mano e quasi poteva toccare le caviglie della poverina. Annusò. Chiuse gli occhi.

«Bimbo, che cazzo fai?» gli chiese Alberto.

«Osservo, annuso». Guardava l'anatomopatologo dal basso verso l'alto. «Solo che dall'altra parte del sedile da qui non ci arrivo...».

«Ed è una cosa grave?».

«No, ma è importante. Te che hai da dirmi?».

«Abbiamo trovato ben sei nominativi. Che facciamo, li controlliamo?».

«No, aspettiamo l'altra lista. E vediamo se ci sono altri riscontri». Si disincagliò dai sedili e tornò nel corridoio. Andarono a prendere posto accanto agli agenti della Polfer. «Come va?» chiese Rocco. I due annuirono. «Insomma... a me è la prima volta che capita una cosa simile» fece quello più giovane.

«I furti capitano più spesso sui regionali. Ci sono un sacco di fermate, i finestrini si aprono».

«Infatti secondo voi dov'è nascosta la refurtiva?» chiese Rocco osservandoli.

«Boh. In valigia? Ma non è che possiamo perquisire 300 bagagli, no?».

«Giusto» fece Rocco. «Ma per sicurezza?».

«Non ne abbiamo idea» risposero in coro.

«Facciamo la stessa domanda al ladro e vediamo cosa risponde».

«Che intendi?» chiese Alberto.

«Aspetta e osserva». Poi chiamò: «Muslera?».

Il treno correva tagliando la campagna toscana. Passati gli Appennini il sole era tornato e splendeva illuminando paesaggi rinascimentali. Ville di campagna con torri al centro decorate con orologi e meridiane, pecore al pascolo, terra coltivata a scacchi verdi e marroni. «Attenzione prego... chi vi parla è il vicequestore Rocco Schiavone, polizia di stato» risuonò nella carrozza. Alberto e i due agenti alzarono istintivamente lo sguardo. «Agenti della polizia ferroviaria passeranno nelle carrozze per un controllo dei bagagli e di tutte le valigie del personale di bordo. Vi preghiamo la massima tolleranza e disponibilità, l'operazione durerà pochi minuti. Grazie per la pazienza...».

L'agente più anziano sgranò gli occhi: «E che, mo' ci tocca guardare dentro 300 bagagli?».

«Non credo» rispose Alberto. «Credo invece che sia solo una scena che fa il vicequestore».

«E perché?».

«Per restringere ancora di più la ricerca, amico mio» e sorridendo si lasciò andare sul sedile.

«Bene, allora stavolta è più semplice. Abbiamo i sei nomi della lista del treno di una settimana fa. Lei Muslera ha invece i nominativi dell'altro treno, quello di tre settimane fa dove pure è avvenuto il furto?».

«Pronto!» disse il capotreno davanti al suo pc.

«E vediamo se uno di questi sei era presente anche su quell'altro treno...». Con gli occhi incollati alle carte Rocco iniziò a declamare i nomi. Muslera digitava sul portatile e negava con la testa. Fumagalli invece guardava fuori dal finestrino.

«Francesco Storti».

«Ce l'ho!» urlò Muslera.

«Ah! Il vicino di posto della vittima. E uno... Rossella Casale... Paolo Romiti...».

«E ricordiamoci che io ho i nomi del personale di bordo» disse Muslera gettando un taccuino sulla poltrona accanto alla sua. «Solo tre stavano sugli altri treni. Un controllore, un addetto alla ristorazione e uno delle pulizie».

«Lasci perdere quello della ristorazione. Solo il controllore e l'addetto alle pulizie» fece Rocco. «Andiamo avanti... Marzia Altobelli...».

«Ce l'ho!» urlò il capotreno.

«E due...».

Controllando i numeri dei posti Muslera faceva strada attraversando i vagoni a Rocco Schiavone e ai due agenti della Polfer. «Sono tutti in seconda. Allora, Francesco Storti carrozza 7 posto 18B...».

I viaggiatori erano in allarme, osservavano i poliziotti con un misto di ansia e di curiosità. Non capivano cosa stesse succedendo. Qualcuno lo chiese, a qualcuno Rocco rispose, ma i più se ne stavano seduti in silenzio a guardare i 4 uomini passare di carrozza in carrozza col treno a quasi 300 chilometri orari, preoccupati dal solito guasto, non sia mai, da un attentato terroristico. Ma Rocco sorrideva, e questo aiutava a sciogliere un poco la tensione. «Allora 14... 15... e 16... Eccoci qua. Ci rivediamo?».

La raganella alzò lo sguardo dal notebook. «Salve...».

«Ma lei non era in prima classe?».

«Io sì... è che posto non ce n'era più e sono venuto qui».

«Può per cortesia aprire il suo bagaglio?».

«Certo!» e indicò la cappelliera. «È quella sacca verde. Quella con la tracolla».

L'agente giovane della ferroviaria la prese immediatamente.

«Posso chiederle perché va spesso a Milano?».

«Lavoro in un'azienda di investimenti. Faccio la spola con Roma. Io in realtà sono di Milano, domani ho una riunione in banca a Roma».

«Si tiene sempre al corrente con le borse di tutto il mondo, no?».

«È il mio lavoro. Lo sa, basta arrivare cinque secondi in ritardo e l'affare può andare in fumo. A proposito, posso rimettermi al lavoro?».

«Voi avete qualcosa da chiedere al signore?» fece Rocco agli agenti e al capotreno.

«No» risposero quelli alzando le spalle.

«Ah no, io una cosa sì. Ma lei ci capisce qualche cosa?» e indicò il monitor del notebook. Un titolo cubitale davanti a un diagramma rosso e blu: «Esistenza di relazione negativa con il livello di disclosure».

«Direi di sì, è il mio lavoro. Però per spiegarglielo impiegherei un sacco di tempo. La finanza è una cosa complessa».

«Quindi non è questione di fortuna?».

«No. È una scienza, signor mio. Lei dà molto peso alla fortuna?».

«Preferisco i fatti. Mi stia bene, signor Storti. Passiamo al prossimo» disse al capotreno.

«Che è alla carrozza 8 posto 2A, signora Marzia Altobelli».

Stessa scena per ogni vagone. Stessi sguardi attenti e allarmati, chi dormiva si risvegliava, chi se ne stava in piedi si rimetteva seduto. La campagna idilliaca e il sole all'esterno stonavano con l'aria tesa che si respirava dentro il treno. Incrociarono il giovane addetto alle pulizie. Il capotreno lo salutò. «Uè Luigi...».

«Buonasera, ma che succede?».

«Un furto alla carrozza 2» disse Muslera, ormai parte integrante dell'indagine.

«Di nuovo?».

«Già...».

«Ah dottore, ha trovato poi il sapone?» chiese l'addetto a Rocco.

«Ho fatto con il caffè. Grazie però!».

«Con il caffè?».

«Era solo una questione di odore, non di pulizia. E il caffè copre tutto, non lo sapeva?».

«A proposito» fece il capotreno. «Luigi era sui treni quando avvennero gli altri due furti».

Luigi annuì. «Sì, c'ero anche io... è vero».

Rocco lo osservò. «Ha delle valigie con sé?».

«No, io no. Faccio la tratta e poi torno a casa. Ho solo questi» e alzò il secchio e una valigetta nera. «Ci sono le cose per pulire».

«Possiamo dare un'occhiata?».

«Certo!».

A parte qualche straccio, prodotti per le pulizie e i passepartout per aprire i bagni non c'era altro. «Grazie Luigi e buon lavoro» e Rocco riprese a camminare seguito dagli agenti.

Marzia Altobelli era una donna sopra i 50 anni. Teneva i ferri da maglia posati in grembo. Stava lavorando a un pullover nero a collo alto. «Sono io Marzia Altobelli, che succede?».

«Vicequestore Rocco Schiavone. Vuole essere così gentile da mostrarci la sua valigia?».

«Guardi, è quella rossa, lì sopra» e indicò un valigione con tanto di rotelle. L'agente giovane l'afferrò e con fatica la portò a terra. Un bambino curioso spuntò fuori dallo schienale della poltrona proprio davanti alla signora.

«Ma che succede? Ho sentito anche l'annuncio prima...».

«Una brutta storia alla carrozza 2, prima classe» rispose Rocco guardando la valigia. C'era qualche vestito e una quantità di recipienti di plastica con coperchio infilati uno dentro l'altro.

«Mia figlia. S'è trasferita a Milano da sei mesi, ancora le porto da mangiare e le vado a fare un po' di lavatrici. Lo sa come sono i figli?».

«No, non lo so» rispose Schiavone, «non ne ho».

Marzia Altobelli si tolse gli occhiali. «Fanno gli indipendenti, poi alla prima bolletta restano con la bocca aperta e non sanno dove andare».

«Non è colpa loro, signora».

«Ah no?».

«No. La colpa è nostra. Lei a venti anni sapeva pagare una bolletta? Farsi una lavatrice?».

«Direi di sì... sì, anche se sono passati secoli!».

Rocco restituì il sorriso alla donna. «Appunto. Non è che le generazioni rincoglioniscono. A meno che la precedente non ce la metta tutta per dargli una mano».

«Ricevuto, dottore... ricevuto!».

«La lasci senza cibo e senza lavatrice. Dopo tre giorni avrà trovato il modo di sopravvivere. Ma io sono sicuro che non sia quello il problema».

«Lo so cosa sta dicendo. Siamo noi che non tagliamo il cordone, e ha ragione».

Rocco gettò un'occhiata all'agente che aveva finito di ispezionare il bagaglio. «Mi dica almeno che il maglione è per lei!».

«Per mia figlia dice?».

«Esatto».

«No, è per il suo fidanzato».

Rocco si strinse le labbra. «Annamo bene. Vabbè, signora, buon viaggio...».

Erano arrivati all'ultima carrozza. Al posto 4D, l'ultimo viaggiatore da controllare.

«Guglielmo Sartori?».

L'uomo con un barbone nero striato di bianco e una pancia enorme alzò lo sguardo verso Rocco togliendosi gli occhiali. «Sì... sono io».

«Vicequestore Schiavone. Vuole essere così gentile da farmi controllare il suo bagaglio?».

«No, se non mi dice perché».

«Si tratta solo di un controllo. Mi creda, prima mi dà retta e prima facciamo».

Scuotendo il testone barbuto l'uomo si alzò. Non era alto, ma molto tondo.

«La sua valigia?».

«Non ce l'ho. Ho solo lo zainetto» e passò una sacca nera vecchia e sporca che teneva accanto.

Rocco fece un gesto ai poliziotti. Niente intanto sfuggiva all'attenzione dei viaggiatori che stavano in ascolto, almeno quelli a portata di udito. L'agente anziano chiese a Sartori di aprire lo zainetto. Cosa che l'uomo fece immediatamente. C'erano carte, una mela e una maglietta. «Lei fa spesso Milano-Roma in treno?».

«Da due mesi. Mio padre è ricoverato in clinica. Ma posso sapere?».

«Certo. C'è stato un morto in carrozza 2 in seguito a un furto».

Nonostante il barbone, Rocco notò l'uomo impallidire. «Un morto? Oh mio...».

«Già. Mi scusi per il disturbo» disse Rocco e salutò. «Faccio il mio lavoro».

«Si figuri... scusi lei se sono stato un po' scortese. Non è un bel periodo».

«Non si preoccupi». Rocco strinse la mano all'uomo, poi prese il cellulare. «Alberto? Sei sempre lì?».

«E dove vuoi che vada? Manco ci si può gettare in corsa!».

«Mi devi togliere una curiosità. Vai alla carrozza 7, al posto 18B, hai segnato?».

«Non sono rincoglionito».

«Sì ma portati un foglietto. C'è uno, trent'anni, brizzolato, sta al computer. Dovresti leggere quello che ha scritto sul monitor e poi riportarmelo. Me lo fai il favore?».

«E certo...».

«Bene. Ci vediamo poi all'inizio della carrozza 8. Grazie».

«Oh, comunque è l'ultima volta che viaggio con te!» e chiuse la comunicazione.

Attendevano Fumagalli davanti alla toilette della carrozza 8. Rocco pareva un cane da caccia. Annusava tenendo il naso in alto. «Mela... pure qui puzza di mela».

«Lo so, è il disinfettante che usiamo» rispose il capotreno. «Non le piace?».

«Mi fa schifo. Lo usate solo nei bagni, vero?».

«Sì».

«Sulla moquette?».

«No. Lì si usano altri prodotti. Ma perché tutte queste domande?».

«Perché gli odori sono importanti, sa? E poi non abbiamo un cazzo da fare, inganniamo il tempo».

La porta si aprì e vomitò Fumagalli. «O bimbino, allora ci ho messo un'ora a capire. C'era scritto...» mise la mano in tasca e tirò fuori un appunto. «Dunque: Esistenza di relazione negativa con il livello di disclosure. È una teoria economica secondo la quale...».

«Stop! Non me ne frega niente, Alberto».

«È che ti volevo dare un saggio della mia infinita cultura che spazia dalla medicina alle scienze umanistiche per approdare infine a quelle...».

«Insomma, sta sempre sulla stessa pagina il ragazzo. E dimmi una cosa, era impegnato nella lettura di questo argomento oppure lavorava? Intendo, scriveva col computer?».

«No no, scriveva, ma ti dico la verità, non cambiava mai la pagina del monitor. Sempre dei diagrammi e quella scritta».

Rocco sorrise. «È chiaro, finge. Da dietro il sedile non ci si arriva. Serviva una mano».

Alberto lo guardò stranito: «Stento a capirti».

«Lascia stare, tu spazia dalla medicina alle scienze umanistiche, queste sono cose mie, da volgare poliziotto che s'è già rotto i coglioni e che manco un viaggio Milano-Roma in pace può fare senza lavorà!». Rocco riprese la strada verso la prima classe. «Torniamocene alla carrozza 2. Stacci a distanza, Alberto, meglio che la raganella non ti veda con noi...».

«La raganella?».

«Ora mi dica, Muslera», Rocco, gli agenti, il capotreno e Alberto erano seduti di nuovo nella carrozza 2 della prima classe, «quali altre coincidenze ci sono fra questo treno e quelli degli altri due furti?».

«Nessuna. Il macchinista non è lo stesso, e poi non lasciano mai il posto di guida. Anche gli altri due Frecciarossa erano dei Milano-Roma senza fermate intermedie. Ma a parte i lavoratori, Luigi, quello del bar di Caserta che non ha voluto incontrare e il controllore... a proposito, lo faccio chiamare?».

«Non c'è bisogno».

«Be'» riprese Muslera, «a parte questo non ci sono altre coincidenze».

Rocco si mise a guardare fuori dal finestrino. «Ogni quanti viaggi i treni vengono puliti?».

«In che senso? Sempre!» rispose il capotreno.

«No, io dico, i bagni, il bar...».

«Ci sono dei turni».

«A questo quando tocca?».

Muslera guardò Rocco. «Perché lo chiede?».

«Perché lo devo sapere. Io credo che dopo la corsa questo treno vada a fare le pulizie».

«Mi vado a informare». Muslera si alzò dal posto. Rocco si concentrò sugli agenti della Polfer. «State a sentire. Appena a Roma tu» e indicò quello più anziano, «ti metti dietro a Francesco Storti, quello del computer. Quando arriva in testa al treno lo fermi e lo porti in commissariato, ma mi raccomando, solo quando è arrivato in testa al treno». Il poliziotto annuì.

«È lui il ladro?» chiese Fumagalli.

«Non è solo. Ecco perché non dobbiamo farci vedere quando lo fermiamo. Invece tu» e Rocco indicò l'altro agente, «te ne stai qui con noi sul treno».

«Ricevuto».

Il capotreno ritornò leggendo un foglietto. «Ci ha preso, commissario...».

«Vicequestore. Sono vicequestore».

«Mi scusi. Ci ha preso in pieno. Il treno è diretto al piazzale per le pulizie».

Rocco sorrise soddisfatto. «Allora, agente, una volta portato Storti in ufficio, vieni con un po' di uomini al piazzale delle pulizie. Lo sai dov'è?».

«Dopo i binari est, no?».

«Bravo. Agli scambi» confermò Muslera.

«Sì, ma io non ho capito chi è il complice» chiese Fumagalli, che ci aveva pensato su, ma era evidente non fosse arrivato a nessuna conclusione.

«I complici. Uno ancora non lo abbiamo conosciuto, l'altro è uno che puzza di mela».

Il treno fermò la sua corsa alla Stazione Termini. I passeggeri cominciarono a scendere. Rocco e Alberto osservavano le persone affrettarsi coi loro bagagli verso l'uscita. Un'ambulanza avanzava lenta sul marciapiede. Stavano venendo a prendere la povera donna. Il figlio si era alzato e aspettava sulla porta. La raganella, al secolo Francesco Storti, passò rapido sotto i finestrini. Parlava al cellulare, Rocco immaginava con chi. «Bene» fece il vicequestore al capotreno che era in piedi vicino al cadavere. «Noi andiamo nella cabina del primo vagone. Ci chiudiamo dentro. Nessuno deve sapere che siamo qui».

«Va bene, dottore. Ci vediamo in stazione?».

«Ci vediamo in stazione...». Fece un cenno ad Alberto e all'agente e insieme si avviarono per andarsi a chiudere nel piccolo scompartimento del capotreno.

«E che facciamo?».

«Aspettiamo, Alberto».

«Ma io vorrei scendere. Andare in albergo, farmi una doccia...».

«No, stai con me».

«Che palle. Te l'ho già detto che è l'ultima volta che viaggio con te?».

«Sì, me l'hai già detto».

Passò più di mezz'ora, poi il treno, svuotato dei passeggeri, lento si mosse lasciando il marciapiede della stazione. Rocco riconobbe le case di San Lorenzo, poi il treno si spostò verso il muro della stazione lasciando liberi i binari per i treni in arrivo. Ci furono due scambi che rumorosi fecero curvare il convoglio verso sinistra. Dal finestrino Rocco poteva scorgere la destinazione: un binario solitario stretto da due banchine lunghe sulle quali c'erano due uomini in attesa. Alle loro spalle un furgoncino simile a un muletto elettrico con due grosse cisterne. «Andiamo...» disse ad Alberto e all'agente. I tre uomini si alzarono e controllando che non ci fosse nessuno si avvicinarono alla porta della carrozza numero 2. Il treno si fermò. Le porte furono sbloccate e il macchinista uscì dalla cabina. Con una strizzatina d'occhio salutò Rocco, poi scese dal treno sul marciapiede. «Cosa aspettiamo?» chiese l'anatomopatologo.

«Verranno alla carrozza 2».

«Perché?» fece l'agente.

«Perché il bagno è guasto».

Fumagalli finalmente sorrise. Aveva capito.

Stavano infilando i tubi di aspirazione dello svuota reflui nel condotto principale del bagno chimico. Lontano, in coda al treno altri tre uomini erano impegnati nella stessa operazione. Il motore diesel del rimorchio partì e la pompa cominciò ad aspirare.

«Com'è che svuotate i liquidi di un bagno guasto?». I due uomini si voltarono di scatto. Luigi, l'addetto alle pulizie, e un omone che manovrava la pompa sbiancarono alla vista di Rocco Schiavone accompagnato da un agente di polizia e da un terzo uomo. «Come?».

«Luigi, perché svuoti un bagno che non è stato praticamente usato?».

L'omone alla pompa mollò il tubo e si mise a corre-re in mezzo al pietrisco dei binari. Ma non andò lontano. Sei agenti della stazione di Roma Termini, accompagnati dal poliziotto anziano della Polfer, l'avevano già circondato. Luigi invece era rimasto vicino al trabiccolo. «Ti dispiace spegnere il motore, Luigi?».

Il ragazzo eseguì. Poi abbassò la testa. «Dove lo svuotavi?» gli chiese Rocco.

«Al magazzino, giù...».

Poi Rocco si avvicinò al ragazzo. «Brutto testa di cazzo, lo sai che hai combinato, sì?».

«Io non credevo che...».

«'Sto cazzo!» gli mollò uno schiaffo a piena mano che fece sobbalzare l'agente giovane lì accanto. «È morta, lo sai? Morta, lo capisci coglione?». Poi si voltò verso Alberto Fumagalli che era rimasto lì a guardare la scena senza sapere se intervenire o meno. «Andiamocene, Alberto. Portate via 'sta monnezza» e non si stava riferendo ai liquami dei bagni chimici. «Ricordatevi di recuperare la refurtiva dal bidone».

Rocco e Alberto riuscirono a passare sopra il pietrisco e a guadagnare finalmente il marciapiede che li avrebbe ricondotti alla stazione. «Bravo» fu la prima cosa che disse l'anatomopatologo.

«È la prima volta che mi fai i complimenti, Alberto».

«Ero ironico, imbecille. Te se non alzi le mani non sei contento, ma quello del computer che c'entra?».

«Il complice. Vedi, i preziosi li ha rubati Luigi, dalla poltrona dietro all'anziana. Ma da lì non si arriva fino in fondo. C'era bisogno di una spintarella al beauty case, e quella l'ha data il nostro amico col notebook. Ha seguito la donna, si è seduto davanti e hanno agito. Lui non doveva essere in prima classe, altrimenti mi spieghi perché al capotreno Francesco Storti risultava prenotato alla carrozza 7 posto 18B?».

«Già, non ci avevo pensato».

«Questo è il motivo che fa di te un medico e di me un poliziotto. La refurtiva probabile l'avesse quel Luigi, poi l'ha scaricata nel water. E visto il complice qui alla stazione sulla piattaforma delle pulizie finali, era una pratica già oliata. Rubano, buttano in un bagno, ci mettono la scritta fuori uso, così non entrerà nessuno, e arrivati alla stazione recuperano la refurtiva».

«Sono in tre?».

«Già. Uno che si mischia ai viaggiatori e sceglie la vittima, il braccio che ruba e alla fine i pulitori. Ora io me ne vado a casa che ho la riunione condominiale. E la sai una cosa? Era meglio se restavo ad Aosta per la festa della polizia».

«Ci vediamo. Se hai bisogno di me chiama».

«E che bisogno potrei avere?».

«Lo sai che la riunione condominiale è il posto dove gli esseri umani danno il peggio? Non mi stupirebbe se ci scappasse il morto».

«Vatti a sentire il concerto e statti bene».

Si separarono. Rocco si diresse verso l'ufficio di polizia della stazione e si accorse che quella storia schifosa gli aveva tolto il piacere di essere tornato nella sua città, anche se per una riunione condominiale, anche se solo per una mezza giornata. Avrebbe messo in conto pure questo a Luigi e company, aver trasformato un ottavo livello di rottura di coglioni in un decimo livello pieno con tanto di morto e di carte da riempire.

«Allora, sono presenti i signori Salmassi, i signori De Luca, la signora Caprini vedova Ardenzi, il signor Guido Torre, il dottor Schiavone, la famiglia Di Biase, il dottor Capuano notaio... allora i millesimi e li ho qui insieme alle deleghe dei signori...».

Rocco era seduto in fondo alla sala delle riunioni, una stanza sotterranea che fungeva da cantina condominiale e che più di una volta Guido Torre, l'ex infermiere detto il merda, aveva provato ad accaparrarsi, come aveva fatto con l'appartamento che abitava, ma la cocciutaggine e la perspicacia della vedova Ardenzi gliel'avevano impedito. Guardava gli abitanti del suo palazzo come esseri venuti da mondi lontani, da dimensioni parallele, da altre galassie. Non gliene fregava niente di dovere spendere 50.000 euro, e nemmeno che l'amministratore condominiale sicuramente ci avrebbe fatto la cresta chiamando una ditta di amici suoi. Aveva bisogno di farsi un giro per Roma, ora che il sole era ancora alto. Andare a Trastevere, prendersi una birra, guardare il cielo e osservare come i gabbiani contendevano piazze e strade a piccioni e cornacchie. Voleva stare seduto a guardare le donne, i bambini che giocavano con le bici, ascoltare le campane che suonavano, comprare accendini e calzini dagli africani, fumarsi una sigaretta, chiamare i suoi amici, organizzare una serata decente, farsi due chiacchiere con Marina in mezzo alla plastica dei mobili. Si alzò di scatto. «Senta, signor amministratore, la interrompo un momento».

«Dica» fece quello levandosi gli occhiali per guardarlo.

«Lascio la riunione, non me ne frega niente dei rifacimenti, anche se costosi, incarico Guido Torre di rappresentarmi...».

«Perché io?» chiese il merda che sospettava di tutto.

«Perché lei è tirchio, furbo e ci sa fare. Se è riuscito ad accaparrarsi una casa, sicuramente saprà difendere i suoi interessi».

L'uomo si alzò in piedi di scatto ma Rocco lo prevenne. «Guardi che le sto facendo un complimento. Le chiedo solo una cosa, signor amministratore».

«Dica».

«Non vada oltre il 3 per cento. Altrimenti la vengo a cercare. Ci siamo capiti?».

«Il 3 per cento? E di cosa?» chiese quello sbiancando.

«Mi ha capito benissimo. I lavori costeranno sui 200.000 euro, diciamo che se si intasca più di 6.000 torno a cercarla. E guardi che lo faccio».

«Lei mi sta accusando?» l'amministratore scattò in piedi. «Ci sono i termini per una querela, sa?».

«Si accomodi pure. Poi vengo con la finanza a guardare le carte del suo studio. Le toccherà pagare le spese legali e pure ricostruirsi una vita perché se mi fa incazzare, dottor che non so manco come si chiama, io la vita gliela distruggo».

«Dice il vero» intervenne la vedova Ardenzi sorridendo sbarazzina al vicequestore. «Quindi caro dottor

Carotenuto le consiglio di soprassedere, riprendiamo la riunione condominiale, dovrà vedersela con me!» e sfiorandosi la collana di oro antico puntò gli occhi freddi e cattivi sull'amministratore che, spaventato, si rimise seduto.

«La stimo, signora Ardenzi» disse Rocco ricambiando il sorriso.

«Anche io, vicequestore. E come dice sempre lei, mi stia bene!».

Schiavone infilò la porta lasciando alle sue spalle riunione e bocche spalancate.

Si sentiva proprio un cesso chimico, aveva bisogno di un bidone svuota reflui che lo ripulisse da cima a fondo. Roma sarebbe servita allo scopo.

Francesco Recami

Il testimone

L'idea del viaggio alla volta di una meravigliosa isola che si chiamava Corsica, per una fantastica vacanza, non è che eccitasse particolarmente l'Enrico, detto il Cipolla, anni 5, seconda Materna.

La mamma cercava di convincerlo che si trattava di
una vacanza stupenda, in un posto bellissimo, in mezzo al mare.

Boh?

Quando la mamma ne provava di tutte per persua-
derlo di qualche cosa voleva dire che c'era il trucco, di
solito. E lui non si divertiva per niente. Sicuramente
si trattava di una di quelle cose noiose che piacevano
alla mamma, per esempio andare al ristorante, a rompersi le bale.

E poi veniva anche il Carlo, cioè l'amico della mamma,
che all'Enrico non stava molto in simpatia, anche se quello lì cercava sempre di fare il simpatico, inutilmente.

Ormai, c'è da dirlo, si era rassegnato. Non faceva più
le bizze quando c'era il Carlo, tanto non serviva a niente, e dopo la mamma lo sgridava e gli faceva il muso.

Così Enrico aveva imparato che era meglio lasciar perdere e le bizze tenerle per le occasioni importanti.

Adesso a cosa sarebbe servito farla lunga, che lui in Corsica non ci voleva andare, che lui voleva starsene a casa, eccetera. Pazienza e rassegnazione. Tanto più che se lui non ci voleva andare la mamma lo avrebbe lasciato a Milano, dal papà, a rompersi le bale ancora di più.

Semmai avrebbe messo da parte qualche frustrazione e qualche disagio, utilizzandoli in seguito come merce di scambio con la mamma.

Ovviamente Enrico non conosceva il significato delle parole «frustrazione», «disagio» e «merce di scambio», ma il senso complessivo dell'operazione l'aveva capito benissimo: fargliela pagare in seguito.

Così non sollevò problemi, almeno quanti ne avrebbe potuti sollevare. Non accusò sintomi influenzali, tosse e diarrea, e si predispose, rassegnato, a subire quella vacanza, sperando che finisse il prima possibile.

La mamma aveva esposto le meraviglie del viaggio, in treno, in traghetto, forse addirittura in barca. Enrico la lasciava parlare, scettico. Succedeva sempre che la mamma si sperticasse in esaltazioni eccessive di un divertimento che poi non si verificava.

Le cose cominciarono a prendere una piega inaspettata per Enrico quando montarono sul treno Frecciarossa. Questo treno è velocissimo (e costosissimo, a quanto diceva la mamma) e aveva l'aspetto di un siluro rosso e cattivo. Arrivò al binario ruggendo, i fanali sul davanti parevano gli occhi arrabbiatissimi di un mostro marino, e davano al muso del treno un'espressione furibonda ma anche buona.

«Enrico, lo sai che il Frecciarossa va a trecento chilometri all'ora?».

Enrico non aveva idea di quanti fossero trecento chilometri all'ora, però gli sembrava una cifra stratosferica (per la verità non sapeva neanche cosa fosse la stratosfera, però doveva essere comunque qualcosa di enorme). In effetti questa cifra «trecento» l'aveva già sentita dire a proposito della luce, come la massima velocità raggiungibile al mondo. E così quel treno andava alla velocità della luce? Mah, si sarebbe visto. I grandi dicono sempre una quantità enorme di balle.

Il treno all'interno era meraviglioso e comodo, e c'erano anche le spine elettriche per ricaricare l'iPad, che però la mamma non gli faceva usare. Sprecare una bizza subito? No, non ne valeva la pena. L'unica richiesta che fece Enrico fu quella di stare seduto vicino al finestrino. La mamma gli aveva portato vari generi di conforto: yogurt biologici, crackers biologici, barrette biologiche, frutta secca biologica, succo di frutta biologico, l'acqua biologica non l'avevano ancora inventata. Se ne usciva con queste frasi del piffero, tipo: «Ti diverti Enrico?» che ne denunciavano l'ansia pressante, e che facevano temere al bambino che ci fosse qualcosa da temere.

Ma ecco che il treno partì, uscendo dalla stazione centrale. All'inizio procedeva filante e tranquillo, ma dopo una fermata cominciò a pistare a velocità. Per la miseria! I chilometri orari si cominciavano a percepire, il treno perforava l'aria come una saetta. Enrico non sapeva che una freccia e una saetta sono la stessa cosa, volendo, solo che la freccia è dritta, invece la saetta è

59

a zig zag. Però a lui pareva che la saetta andasse più forte. In effetti aveva ragione.

Guardava fuori dal finestrino: il treno percorreva binari che stavano più in alto, rispetto all'autostrada lì sotto.

«Mamma, perché i camion stanno fermi?».

«Enrico, non stanno mica fermi, è che il treno va così veloce che i camion sembrano fermi».

Enrico ci pensò un attimo. Come sarebbe a dire? I grandi ti danno sempre delle spiegazioni che ci si capisce ancora meno. Lui riteneva che se qualcosa è fermo è fermo, se si muove si muove, mica dipende dal fatto che il treno vada più forte. Fissava i camion e in effetti si accorse che si muovevano, anche se sembravano fermi. Le macchine, anche quelle potenti, Peugeot, Alfa Romeo, BMW, andavano piano, e il treno se le lasciava dietro con facilità. Questa poi. Probabilmente era un effetto magico che rientrava nei poteri della Frecciarossa.

«Mamma, guarda, una Skoda come quella del papà».

«Eh, lo vedi come va piano?».

Enrico era allibito, non aveva mai avuto un'esperienza così diretta ed efficace della velocità pura. Gli pareva di essere a bordo di un missile. A un certo punto il treno ne incrociò un altro che procedeva in senso opposto. Enrico si prese quasi paura. Poi entrò in una condizione estatica in cui nulla pareva quello che sembrava.

Per esempio aveva la sensazione che certi mostri dall'aspetto di medusa cercassero di appiccicarsi al treno, probabilmente per dissanguarlo. Ma il Frecciarossa respingeva risolutamente questi attacchi, scrollandosi di dosso quegli esseri viscidi e velenosi, che a lui non gli facevano niente.

Poi nella pianura vide eserciti di Nazgul a cavallo che cercavano di bloccare il mostro meccanico, la bestia umana. Ora, non è che Enrico avesse letto Zola, in realtà non aveva letto niente in quanto ancora non sapeva leggere. Per la verità qualcosina aveva imparato, conosceva le lettere dell'alfabeto, sapeva decifrare il suo nome e pochi altri, e scrivere INTER. Ma da qui a leggere e apprezzare *La bestia umana* ancora ce ne voleva, però questa espressione, «La bestia umana» appunto, gli venne spontaneamente sulla bocca mentre il treno AV solcava la Pianura Padana, il che depone a favore della sagacia del titolista Zola.

Comunque la Bestia Umana spaccava tutto, sfondava gli eserciti dei suoi nemici e li buttava nel fiume Po.

A un certo punto a Enrico scappava la pipì.

«Vai nel bagno, lo vedi? È laggiù dove c'è la lucina, ma non ti chiudere dentro che poi non ti riesce riaprire».

Socchiuse la porta di uno dei due WC, però dentro c'era qualcuno, per la precisione due persone, un maschio vestito da generale e una femmina di pelle scura. La signora era nuda di sotto, e il Generale le stava infilando qualcosa nel sedere, sembrava un paletto di legno.

Enrico allora scelse l'altra toilette e pisciò mezzo fuori e mezzo dentro. Ma che si pretende da un bambino di cinque anni?

Quando tornò al suo posto vicino alla mamma le disse: «Mamma, li hai visti i mostri che cercavano di attaccare il treno? Il capitano ha attivato un meccanismo che li ha fatti esplodere per via della corrente elettrica fulminea».

Caterina ridacchiò, insieme al Carlo.

«E poi mamma, lo sai che nel bagno c'erano due, un uomo e una donna, non si sono nemmeno accorti di me. Lui era un generale, lei non lo so. Però a un certo punto lui le ha infilato nel sedere un paletto di legno che sembrava un fungo. Lo sai che a un certo punto il treno ha cominciato a volare? Questo treno può volare, lo sapevi? Può estrarre le ali e sale su finché vuole. Però quando è in aria non funzionano i freni».

Caterina rideva compiaciuta delle fantasticherie di suo figlio – anche se certe idee erano un po' forti – il quale volle il quaderno e i pennarelli per eseguire alcuni disegni riassuntivi delle sue incredibili esperienze. Se non faccio i disegni i miei amici non mi crederanno mai, pensava.

«Non disegnare la storia del palo nel culo».

Il treno arrivò a Firenze, dove c'era la coincidenza per Livorno. Enrico fra sé e sé rifletteva sulla parola «coincidenza», che aveva già sentito e che secondo lui voleva dire che due cose avvenivano insieme per caso. E dunque si aspetta un altro treno per caso? Comunque l'altro treno, per caso o meno, era là che li aspettava, ed Enrico già si immaginava che fosse un'altra «bestia umana» invincibile.

Invece era un regionale, che nulla aveva a che vedere con la Frecciarossa. Prima di tutto non era rosso, e nemmeno nero, era celeste e bianco, aveva due piani. Procedeva lentamente e si fermava spesso. Però aveva una caratteristica incredibile, il bagno girevole. Cioè uno si metteva a sedere sul WC e faceva la cacca: poi tirava lo sciacquone, non c'era la catenella ma si premeva un bottone: a quel punto la seggetta del cesso si metteva a girare, e passava dentro un posto dove la strusciavano con l'acqua e tornava indietro tutta pulita e bagnata. Incredibile. Enrico azionò il dispositivo più volte, ne era come ipnotizzato. Dopo una mezz'ora la mamma venne a recuperarlo, di fronte a una coda di passeggeri che avevano urgenza di giocare anche loro con il WC girevole.

Enrico era eccitato per la quantità di novità alle quali era esposto. Non ebbe tempo di raccontare alla mamma delle meraviglie della toilette che erano già arrivati in un'altra città, dove la mamma diceva che c'era il mare.

Presero un autobus che assomigliava in tutto e per tutto a quelli di Milano e presto arrivarono al porto, che a Milano non c'è.

Un porto veramente spaziale, pieno di navi grandissime, illuminate da tante lucine accese.

Enrico non sapeva dove guardare, era impietrito, lui in un porto non c'era mai stato, solo a Cervia, vicino a Milano Marittima, dove una volta era andato col nonno. Ma là c'erano solo barche piccole, qui invece c'erano navi enormi e incredibili, alcune piene di scatoloni di ferro, altre dotate di antenne rotanti.

«Ti piace Enrico? Siamo al porto di Livorno».

Enrico non sapeva che dire, era esterrefatto, ma non ebbe tempo di esprimere opinioni che salirono a bordo del traghetto, così lo chiamavano, anche se a lui sembrava in tutto e per tutto una nave, e bella grossa.

«E perché questa nave si chiama traghetto?». A lui la parola traghetto sembrava insufficiente, quasi denigratoria, comunque sottovalutava la mole di quell'enorme nave colorata di blu e arancione.

«Si chiama traghetto perché ci traghetta, no?» rispose la mamma.

Perfino Enrico, cinque anni, capiva che si trattava di una spiegazione del cazzo. E che vuol dire traghettare?

Però quel traghetto, parola che Enrico non ebbe mai più a usare, gli sembrava inadeguata, era una nave meravigliosa, dentro sembrava un palazzo, c'era il bar, il cinema, il ristorante e la pizzeria, e in più si poteva andare sul ponte da dove si dominava il mare e il porto, e una quantità di roba che Enrico non riusciva a contenere.

Da sopra si vedevano le barche piccole che entravano in porto, o che ne uscivano, o che stavano ferme. Poi si vedeva un castello antico dove probabilmente aveva sede il governo dei padroni di quel posto. Saranno stati buoni o cattivi? Secondo Enrico, a occhio, dovevano essere buoni, perché era esposta una bandiera dove sopra era raffigurato un altro castello con sopra una bandiera. Chissà se in quella bandiera c'era un altro castello con un'altra bandiera, piccola, in cima. E via di seguito.

Enrico ebbe modo di godersi la partenza, manteneva un silenzio che la sua mamma non poté che definire incredibile. Il sole era già tramontato da tempo, eppure Enrico non fece le richieste solite, tipo vedere un film alla tv o giocare con l'iPad. Ce ne volle per portarlo via dal ponte, quando il traghetto era già in mare aperto, e lui intravedeva navi dei pirati e imbarcazioni aliene in mezzo ai flutti.

Quella nave enorme gli dava un senso di potenza mai provato: anche se fossero arrivati dei cattivi sarebbero rimasti schiacciati e a bocca asciutta, pur affogando.

Enrico mangiò mezza pizza riscaldata e sognava. Volle a tutti i costi tornare sul ponte a scrutare il mare e il cielo stellato.

Poi lo portarono alla poltrona letto dove avrebbe dormito. La mamma e il Carlo sembravano stanchi, ma lui non aveva nessuna intenzione di dormire. Quelli si svaccarono sulle poltrone, guardando uno stupido film sentimentale. Nel giro di poco tempo dormivano tutti e due, e dunque Enrico poté muoversi, libero, all'avventura.

Il clima della nave gli piaceva, c'erano tanti uomini grandi che non si curavano di lui, e non gli rompevano i coglioni, come diceva il papà alla mamma quando ancora non erano separati.

La nave era piena di scalette e cunicoli.

In mezzo a una rampa c'era una porticina di ferro dove c'era scritto «Vietato l'ingresso. Crew only». Però l'Enrico non sapeva leggere, e tantomeno sapeva l'inglese. Quindi si catapultò all'interno, e scese giù altre scalette che non finivano mai. In quei pertugi intravide centinaia di nemici cattivissimi, che lui eliminava con gesti repentini. Stunf, stunf, li mandava a casa con mosse segrete. Però le luci non è che fossero molto alte, e il rumore dei motori invece aumentava. Adesso troverò l'origine del segreto.

Arrivò in sala macchine e sussultò di meraviglia.

Un meccanismo infernale grande come due tram messi insieme sobbalzava e vibrava da tutte le parti, e per terra c'erano delle colate di olio nero diabolico. Il motore sotto sforzo sibilava e una sfilza di pompette si alzavano e si abbassavano. Era arrivato nella centrale del Male. I mostri si nascondevano benissimo, ma lui non aveva paura perché sapeva la parola magica, quella che li avrebbe rimessi a posto, cioè fatti morire sul colpo. E poi tanto lo sapeva che erano tutte balle, ma non per questo desistette dall'obiettivo, che pure era ignoto.

Lo recuperò un macchinista, che in prima istanza lui pensò fosse il Grande Maligno, era un gigante con i capelli e la barba rossi. Però era gentile e gli disse: «Ma cosa ci fai tu qua?».

«Combatto la bestia umana». Si riferiva al propulsore della nave.

«Ah».

Il macchinista condusse Enrico nella Sala Comando, dal Capitano.

«Non parlerò mai» disse Enrico, e il Capitano gli fece vedere tutti gli strumenti di pilotaggio.

«Ma come ti chiami me lo dici?».

«Enrico, ma non è il mio nome vero, e quello non ve lo dirò mai. Se solo lo dicessi sareste tutti morti».

«Ah, bene».

Enrico sapeva benissimo che avrebbe dovuto non fidarsi di quell'essere, probabilmente un replicante. Eppure la sala di pilotaggio era una figata. C'erano mille dispositivi segreti, e lucine dappertutto.

«Vieni Enrico, ti faccio pilotare la nave».

Enrico di quei dieci minuti successivi non si sarebbe mai dimenticato nel corso di tutta la sua (lunga) vita. Si dice che nel 2086 lo raccontasse ancora, come se fosse successo il giorno prima.

«Enrico, vedi quella nave laggiù? È una petroliera gigantesca. Muscas, vammi a cercare i genitori di questo bambino!».

«Ma sembra piccola piccola» replicò Enrico.

«Sembra piccola perché è lontana, in realtà è più del doppio di questa nave qui».

Arieccoci coi soliti discorsi dei grandi sulla relatività del punto di vista.

Si sentì una forte voce dall'altoparlante: «IL BAMBINO ENRICO IN QUESTO MOMENTO È IN SALA COMANDO. SI PREGANO I GENITORI DI VENIRLO A RECUPERARE».

La madre, tremante, lo andò a prendere, e lo riportò nella sala delle poltrone.

«Enrico, fammene un'altra di questo genere e io...».

E io che?, pensava Enrico, sei tu che hai fatto una figuraccia perché hai perso il controllo di un bambino di cinque anni. Hai visto come ti ha guardato il Capitano? Comunque il Capitano è mio amico.

La mamma e il Carlo litigarono un po', e questo infuse in Enrico un senso di rassicurante normalità. Lui faceva finta di dormire, finché non si addormentò per davvero, sognando di pilotare la nave in mezzo alla tempesta boreale. Neanche della parola boreale sapeva il significato, però gli piaceva e lo condusse in mezzo a mille pericoli e avventure.

La mattina dopo arrivarono all'isola chiamata Corsica. Un altro porto pieno di navi misteriose. Una aveva anche cannoni e missili e armi spaziali.

«Mamma, cosa c'è scritto su quella nave grigia?».

«U44».

«Ah» fece Enrico, come se per lui fosse tutto chiaro. D'altronde aveva già pilotato una nave ben più grossa di quella lì.

Scesero dal traghetto, Enrico lo contemplò e gli disse addio. Poi purtroppo presero una macchina a noleggio e imboccarono una strada tutta curve, durante la quale l'Enrico vomitò anche quello che non aveva mangiato. Eppure non si lamentò neanche un po'. La mamma lo carezzava con gesti effeminati.

Arrivarono a destinazione, un villaggio turistico dove avrebbero passato alcuni giorni: che palle, pensava Enrico, e intravedeva con terrore quei pomeriggi in cui la mamma e il Carlo sarebbero andati a farsi un sonnellino e avrebbero costretto anche lui a fare lo stesso, chiudendolo in cameretta.

Invece il posto non era affatto male, una specie di campeggio ma senza tende e roulotte o camper, bensì delle capanne come quelle dei selvaggi, che però al loro interno avevano il gabinetto e il frigorifero.

Inoltre c'era un bel parco giochi e anche la piscina col toboga.

Enrico volle immediatamente andare a fare il bagno.

Si buttò giù dal toboga una quarantina di volte consecutive, in tutte le posizioni, di schiena, di pancia, a testa in giù, in piedi, come quelli che fanno il surf.

A sguazzare c'erano parecchi bambini ma non sapevano mica parlare. Dicevano parole strane prive di significato. Juju, pipì e peté. Però in qualche modo finirono per intendersi. C'era un bambino grande – almeno otto anni – un po' cicciotto, che si chiamava Raul ed era un vero capo, che parlava un'altra lingua ancora. La stessa lingua dei bambini peruviani che abitavano nella casa del nonno, e con i quali Enrico si intendeva a meraviglia. Enrico gli disse qualche parola in spagnolo e fra di loro fu subito intesa.

«Mamma, posso andare a giocare con Raul?».

«Sì, ma non fate pasticci, eh?».

Andarono a giocare al parco giochi, un giardinetto spelacchiato. Raul pisciava lontanissimo e sapeva fare dei rutti lunghissimi, dopo essersi riempito di coca-cola. Coca-cola? Per Enrico si trattava di una sostanza proibitissima, la mamma non gliela aveva mai fatta neanche vedere da lontano e lui era certo che a berla si andava all'inferno o anche peggio. E a quel bambino permettevano di bersene un bottiglione! Enrico era sbalordito. Quello beveva a bottiglia, senza fermarsi mai. Ma com'è che non moriva sul colpo?

Ma invece di morire quello faceva dei rutti spaziali e ruttando diceva «Alabuenadedios» o qualcosa del genere.

«Me la fai assaggiare?» riuscì a chiedere intimorito l'Enrico, controllando che la mamma non stesse guardando da quella parte.

Raul gli offrì il boccione, continuando a fare rutti smisurati.

Enrico sollevò il bottiglione e dette alcune piccole sorsate, e in breve fu l'estasi.

La coca-cola era una bibita meravigliosa, che ti riempiva la bocca e il naso di un gas dai poteri mega e ti faceva sentire benissimo. Enrico ne dette altre sorsate, sempre più consistenti. E poi l'effetto magico, il rutto. Anche Enrico proruppe in un colossale, se proporzionato al suo fisico mingherlino, rutto, che uscì mezzo dalla bocca e mezzo dal naso. Era questa la droga?

I grandi ti proibiscono sempre le cose migliori.

Insomma Enrico si ambientò e trascorse due giorni di sano divertimento coi suoi amici, passando il tempo a fare la pipì nella piscina e a tirarsi le borse di plastica piene d'acqua. L'unico timore di Enrico era che la mamma venisse a scoprire che lui aveva bevuto (e continuava a bere!) coca-cola. Lo avrebbe messo in prigione?

Quando Enrico convinse gli altri che i gavettoni sono molto più divertenti se nella borsa non ci metti l'acqua ma la vernice, o comunque un liquido colorato, i genitori dei bambini francesi ebbero qualcosa da protestare. Ma tutti, per un innato razzismo specifico, se la presero con Raul, considerato il responsabile dell'atroce progetto.

Raul non se ne fece un cruccio e replicò con un altro megarutto. Per Enrico era un dio.

Ma ecco che una mattina la mamma svegliò Enrico prestissimo e se ne venne fuori con la strana idea che si andava in gita.

«In gita dove?».

«Andiamo in Sardegna, prendiamo un'altra nave, non sei contento?».

«Mah?».

«Ma andiamo solo io e te, il Carlo non viene, sei contento?».

Be', questo non era un particolare irrilevante, la cosa poteva farsi interessante.

«Ma cosa andiamo a fare? Perché non portiamo anche Raul?».

«Eh, i suoi genitori non vogliono».

«Però non mi fai stare mille ore seduto al ristorante, me lo prometti?».

«Ma no, vedrai che incontreremo i delfini».

«I delfini?».

Magari lui sarebbe stato anche contento, se non che per arrivare a prendere il traghetto ci vollero due ore di macchina, con altra vomitata a profusione. E poi il traghetto faceva ridere i polli. Era una nave piccola e scassata, e per giunta il viaggio durò pochissimo, la nave non fece in tempo a partire che era già arrivata. Non riuscì così a pilotarla. E di delfini neanche l'ombra.

E dopo ancora macchina, e ancora curve, e ancora...

Enrico era spossato, e se fino ad allora non aveva giocato la carta della bizza, decise che quel momento era venuto.

Si mise a piangere e a urlare, disperato, e a quel punto sarebbero stati tutti problemi della mamma, così imparava.

Enrico strillava sul sedile posteriore, però la mamma era troppo furba.

Disse: «Guarda un po' qua dove siamo? Guarda cosa c'è lì».

Enrico teneva gli occhi chiusi apposta. Lui non ci cascava. Poi sentì un rumore fortissimo di un motore, e allora gli occhi dovette aprirli per forza.

Erano arrivati in mezzo a un posto di campagna con pochi alberi. La mamma fermò la macchina e la posteggiò in una stradina sassosa. Ed ecco che comparì il mostro meccanico. Sembrava una libellula lunga come l'autobus, però non aveva le ali bensì un'elica sul tetto, e un'altra più piccola sulla coda dietro. Le eliche giravano tutte e due, l'elicottero aveva il motore acceso e faceva più rumore dei motori della nave grande.

Enrico dovette necessariamente sospendere la bizza.

Un elicottero? L'elicottero era in assoluto il mezzo meccanico da lui preferito. Non ne aveva mai visto uno dal vero, solo sulle figurine o alla tele.

«Vieni, andiamo? Che aspetti?».

Che voleva dire la mamma, che ci sarebbero montati sopra?

«Mamma, mi scappa la pipì».

«E falla, no? Falla nel prato».

«Ma mi vedono quelli dell'elicottero».

«E che ti importa? Girati dall'altra parte».

Ma che stava succedendo? La mamma che non si arrabbiava se lui faceva la pipì all'aperto, per la strada. Stava sognando?

Estrasse il pisellino, però non riuscì a girarsi, voleva continuare a fissare l'elicottero, temendo che se si fosse voltato dall'altra parte quello sarebbe scomparso.

Così fece la pipì, ma siccome l'elicottero sollevava un gran vento, questa gli tornò addosso, e gli bagnò i pantaloni e la felpa.

«Andiamo Enrico? Questi non stanno ad aspettare noi».

Dentro l'elicottero c'erano due signori col casco e gli occhiali scuri. Enrico era in trance. Misero un casco anche a lui e alla mamma. E gli occhiali scuri?

Subito dettero gas e il mostro si sollevò da terra, facendo più rumore di mille motorini smarmittati.

In un secondo fu in cielo.

Enrico tremava di felicità, non riusciva a dire una parola, era talmente emozionato che gli sembrava di svenire. E l'elicottero prese velocità.

Sotto il mondo sembrava piccolissimo (allora era vera questa faccenda che ad andare veloce le cose sembrano diverse), si vedevano i paesini, le onde e le barchette nel mare blu.

Il viaggio durò una mezz'oretta ma per Enrico fu una brevissima eternità, guardava abbacinato il panorama di sotto, spiava le mosse dei piloti che avevano anche loro uniformi da generali e parlavano alla radio dicendo cose tipo alfa, charlie, zulu. Evidentemente era il loro codice segreto.

L'elicottero atterrò su una piattaforma con un disegno rosso e bianco. Enrico scese intontito, in mezzo a un vento fortissimo. Non si voleva levare il casco azzurro ma poi lo dovette restituire. I piloti lo salutarono, lui guardò quel mostro ripartire e non sapeva se piangere o se ridere dalla felicità. Un po' era triste: i miei amici non mi crederanno mai.

Ma le sorprese non erano finite, eh no.

Lì vicino li aspettava una signora in macchina, una Doblò.

«Piacere, Consonni» disse Caterina.

«Piacere, commissario Lo Bello Concettina, ma mi chiami Grazia» disse la signora. «Benvenuti nell'isola di San Pietro».

Salirono sulla macchina, che era uguale a quella della nonna Angela. La mamma non voleva che Enrico la chiamasse così, perché era l'amante del nonno. Però adesso il nonno stava male, e lui era tanto che non lo vedeva più. Secondo Enrico era tutta una storia, una balla, il nonno era morto e a lui non glielo dicevano perché era piccolo.

La signora fece un po' di chilometri in saliscendi, ogni tanto si vedeva il mare, da tutti i lati. Enrico era ancora così scioccato dal viaggio in elicottero che non vomitò nemmeno.

Poi arrivarono in un paesetto, la signora parcheggiò,

scesero e salirono su per una scaletta di una casa colorata di arancione.

Sul terrazzo c'era un signore che si alzò, pieno di emozione: appena vide l'Enrico e la mamma si mise a piangere.

La mamma corse incontro a quel signore e lo abbracciò, ma quello si rivolse subito verso il bambino.

«Il Cipolla! Il mio Cipolla. Fatti abbracciare. Lo sai che ora al nonno ci viene da piangere?». Già piangeva da prima.

Mah, possibile, il nonno?

Il bambino gli corse incontro, e nonostante non fosse propenso a fare tante smancerie non poté evitare di fare un piantino anche lui.

«Nonno, nonno, lo sapevo che non eri morto!».

«E perché? Chi te l'ha detto che ero morto?».

«La maestra. Mi ha detto che era molto dispiaciuta e che mi faceva le condoglianze».

«Le condoglianze? E tu lo sai cosa sono le condoglianze?».

«No».

«Il mio Cipolla, com'è che stai? Hai fatto il bravo?».

«Nonno, lo sai che siamo andati in elicottero? È la cosa più bella del mondo!».

Dopo i primi attimi di emozione e concitazione l'Enrico non poté non chiedersi come mai il nonno avesse cambiato aspetto.

«Ma nonno, com'è che ti sei conciato? È carnevale?».

In effetti il nonno era molto cambiato: portava degli occhiali grossissimi e si era tagliato i capelli a zero, come un paio di volte era capitato anche all'Enrico, perché aveva i pidocchi.

«Nonno, ti son venuti i pidocchi anche a te?».

«Ma no, stella, è che... Ma venite, accomodatevi, avete visto in che bel posto sta il nonno?».

La tavola era apparecchiata sulla terrazza, da dove si vedeva il mare. Il Consonni aveva preparato il menù preferito dall'Enrico, cotolette alla milanese con patate fritte (mezze fritte e mezze arrosto) e poi Viennetta Algida.

Enrico mangiò di gusto, ma durante il pranzo scrutava in modo indagativo quella signora che si chiamava Grazia. Chi era? E perché aveva la stessa macchina della nonna Angela? Inoltre sembrava inorridita all'idea di friggere la carne nel burro, e lo disse anche: «Sapete, dalle nostre parti si frigge tutto nell'olio. Friggere nel burro? Giuseppe Maria!».

«E alura Cipolla, la te pias la cutuleta?».

«Eh sì che la me pias», il nonno rideva sempre quando lui sparava qualcosa in milanese.

Dopo pranzo la signora Grazia disse che li lasciava un po' soli, che ne avevano da dirsi di cose. Se ne andò, promettendo che sarebbe tornata dopo un paio d'ore, e che li avrebbe portati a fare il giro dell'isola.

Questo era quello che temeva l'Enrico, che la mamma e il nonno si mettessero a parlare e parlare. E io? Ed ecco infatti la mannaia.

«Enrico, vai a farti un riposino sul divano, sarai stanco. La mamma e il nonno devono parlare un po'. Poi dopo il nonno ci porta a fare una passeggiata, adesso noi ci prendiamo il caffè».

Enrico avrebbe voluto uscire subito ma si accontentò dell'iPad e si sdraiò sul divano, probabilmente nel giro di un po' si sarebbe addormentato. Troppe emozioni. In realtà non si addormentò per niente, e teneva le orecchie aperte perché voleva sentire parlare il nonno.

Questo perché obiettivamente, nonostante fosse felicissimo di aver rivisto il nonno, che era vivo e non sembrava neanche per niente malato, c'erano troppe domande senza risposta e troppe cose che non gli tornavano.

Prima di tutto, perché il nonno era andato a stare su quell'isola?

E perché abitava con quella signora Grazia? E chi era quella signora, la sua nuova fidanzata? Prima o poi avrebbe dovuto chiamare nonna anche lei?

Forse che il nonno aveva lasciato la nonna Angela per un'altra? È scappato e adesso la nonna Angela lo cerca? Perché non lo deve sapere nessuno che lui è lì, cosa è successo? E perché si è conciato in quel modo, così nessuno lo può riconoscere? E perché si fa chiamare Alberto da quella signora Grazia?

E dunque la mamma e il nonno si misero a parlare. E come va, e come ti senti, e come state, e come vi sentite, la solita roba.

Poi la mamma tirò fuori dalla borsa dei ritagli di giornale e li dette al nonno.

«Ti ho portato questi, non so se hai avuto modo di leggerli, si parla di te».

Il nonno prese uno di quegli articoli e lo lesse a voce alta: «*"Tranquillo sessantacinquenne milanese giustiziato davanti a casa sua.* Atroce esecuzione ieri a Milano. Mentre si trovava nella corte della casa di ringhiera dove abitava, in via ***, il signor Consonni Amedeo è stato selvaggiamente ucciso da un gruppo di sicari professionisti, cecchini che piazzatisi su uno dei ballatoi lo hanno fatto segno di decine di colpi di fucile mitragliatore, crivellandolo. La squadra, probabilmente composta da tre persone, è fuggita per i tetti, nel giro di pochi secondi, senza lasciare traccia..."». Il nonno Amedeo era ben eccitato. «Oh signur» disse «io che facevo la collezione dei ritagli di cronaca nera, non avrei mai pensato che il morto potessi essere io...».

Continuava a leggere con il pensiero, senza parlare, e sembrava un po' destabilizzato e impressionato dalla lettura del reportage della sua morte. Non gli era mai capitato prima, e in effetti non capita a nessuno, di solito. Prese un altro ritaglio, trovò un articolo che lo interessava: «*"Sparatoria a Milano, un morto: squillo d'alto bordo?"*. Che titolo! Senti qua» disse il Consonni a Caterina: «"Da una nostra inchiesta particolare risultano però altri aspetti della vita della vittima che riportiamo senza commentarli. Pare che Amedeo Consonni avesse il vizietto delle giovani squillo dell'Est, di quelle che ti costano mezzo stipendio a prestazione. In più di un caso ne aveva condotte a casa sua e in una circostanza si era anche verificato un episodio increscioso: il protettore della prostituta era venuto a confronto diretto con l'anziano, facendo espressa richiesta del pagamento della cifra di 500 euro. Una vera scenata, comprese minacce, sotto l'appartamento del Consonni stesso, di fronte a tutti i condomini. Testimoni che preferiscono non venire citati per timore di ritorsioni...". Ah, questa è quella pettegola della Mattei-Ferri, chi altro può essere stato a raccontare queste cose? Ma cosa ne sa lei di quello che è veramente successo?».

«Niente, papi, però, se ci pensi bene...».

«Lo so io, la mia testimonianza sarà messa in discussione per la faccenda di quella ragazza lì, e non posso dire che non c'entri niente».

«Papi, devi stare sereno, per noi sei un eroe. E vedrai che tutto andrà per il meglio. Quei maiali finiranno in galera, e l'unico che ce li può mandare sei tu».

«E se mi trovano?».

«Ma come fanno a trovarti se sei morto e sepolto?».

«Quella è gente pronta a tutto, ed essendo dentro la Pubblica sicurezza crede di poter fare il bello e il cattivo tempo. Se no perché avrebbero montato tutto questo casino?».

Enrico annotò mentalmente che il nonno aveva usato la parola casino, che se la usava lui la mamma gli dava una sberla. Per il resto diceva cose strane.

«Dentro la questura c'è una seconda questura, che fa qualsiasi tipo di affare. Non vedo l'ora che ci sia il processo. E dopo, succeda quello che deve succedere. Io mi limiterò a raccontare quello che ho visto».

Enrico non è che ci capisse granché, facendo finta di giocare con l'iPad teneva le antenne drizzate. In che guai si era messo il nonno?

Poi la mamma, convinta che Enrico non sentisse, come fanno spesso le mamme, cominciò a raccontare a suo padre del funerale.

«Ah papi, questo devo dirtelo, il tuo funerale è stato bellissimo, veramente commovente. Oddio, il discorso del prete non è stato granché, però c'era tantissima gente, alla parrocchia di Santa Maria del Casoretto. Piangevano tutti».

Il nonno pareva un po' imbambolato, a sentire questi discorsi.

«C'erano un sacco di persone, molti non so neanche chi fossero. Forse alcuni erano dei curiosi, venuti perché hanno letto la notizia sul giornale. C'era anche il Barzaghi, che era veramente colpito e addolorato. Che situazione! L'Angela è stata bravissima, è riuscita a contenere qualsiasi emozione, veramente imperturbabile».

«E la Nora, la mia cugina di Arosio, cos'è che ha detto?».

«Ah, poveraccia, era in lacrime».

«Be', a lei potevate dirlo, no?».

«Ma sei scemo? Non possiamo dirlo a nessuno».

«E chi è che lo sa?».

«Solo io, l'Angela e il Luis».

«E allora com'è che vi hanno dato il permesso di venirmi a trovare?».

«Eh, ci ho parlato io col commissario Ametrano. Gli ho detto che se non trovava un sistema avrei raccontato alla stampa come sono veramente andate le cose. E allora lui ha organizzato tutto questo ambaradan. Dice che se no perdi la testa anche tu e poi non fai più il testimone».

«Eh, non ha mica tutti i torti».

Ci fu una pausa di silenzio, un uccellino si posò sul davanzale e poi scappò via, prima che Enrico potesse muoversi. Poi la mamma riprese.

«Ma papi, come va la vita qui?».

«Ah, be', il posto è meraviglioso. E poi la signora Grazia è gentilissima».

«Papi! Non è che ti sei messo a fare il cascamorto anche con lei?».

«Ma cosa dici? Stai parlando di un commissario di polizia che ha la responsabilità di proteggermi. E cucina benissimo. Oddio, è siciliana, i suoi piatti sono un po' pesanti: la sua specialità sono gli anelletti di pasta al forno, una porzione rasenta le 30.000 calorie. Ma il pesce lo sa cucinare a meraviglia. La mattina va a fare la spesa e trova sempre qualcosa di interessante, dai pescatori. Sto mettendo su dei chili, il che non va neanche male, visto che vivo sotto falsa identità. Secondo me mi fanno ingrassare apposta».

«E per il resto?».

«C'è una cosa che mi dà fastidio, la Grazia mi dà la paghetta, come ai bambini. Le ho chiesto: ma non potrei avere un po' di soldi dei miei? Sai cosa mi ha detto? Che il mio conto è bloccato, anche se a dire la verità di soldi non ce n'erano. E la pensione? Mi sarà pur arrivata la pensione! Dico io. Pensione? Ma quale pensione, lei lo sa o non lo sa che non è in vita? Non sono in vita, t'e capì?».

«Dai papà, non sarà ancora per molto».

«Sperem».

Enrico si alzò dal divano e affermò che gli scappava la cacca. Andò verso il bagno, la fece, ma in realtà voleva dedicarsi a un giretto d'ispezione per quella casa, per vederci più chiaro. La mamma e il nonno continuavano a parlare e a parlare, ma come fanno i grandi a parlare così tanto?

Entrò con decisione nella camera della signora Grazia, che era il suo obiettivo. Non c'era niente di interessante, solo un computer. Aprì l'armadio e qui venne il bello. Insieme a due o tre vestiti e giacche c'era un cinturone di pelle, di quelli che i poliziotti americani portano sulla spalla, sotto il giaccone, con due, dico due, pistole pesantissime, una a tamburo e una no.

Saranno pistole vere? Enrico ne estrasse una dal fodero e da quanto pesava giudicò che fosse autentica. La rimise a posto.

Non è che il nonno era ricercato perché aveva fatto qualche rapina in banca insieme alla sua nuova «sgarzola», armi in pugno? Gliela raccontavano giusta?

E che ne sapeva lui, non gli avevano detto niente.

Tornò in salotto e proprio in quel momento ricomparve anche la signora Grazia, tutta arzilla, dicendo che era l'ora di andare a fare una bella gita per l'isola. Li avrebbe soppressi tutti quanti? E perché? si domandava Enrico.

Partirono con la Doblò a fare un giro. Prima andarono alla Punta delle Oche, dove le oche non c'erano. Poi arrivarono al faro di Capo Sandalo, dove di sandali non ce n'era neanche uno spaiato, poi alle saline dove il sale non c'era, invece c'erano tanti uccelli col becco a punta. Infine raggiunsero le tonnare, e la signora Grazia spiegò che le tonnare lì non c'erano più. Insomma, in quel posto i nomi li davano a caso. Però erano tutti bellissimi e fantastici, Enrico avrebbe desiderato una macchina da presa per girare dei filmini, così si risparmiava la fatica di fare i disegni.

La tonnara fu il posto che lo magnetizzò di più, anche perché il nonno gli spiegò, in modo un po' semplicistico, come facevano a catturare i tonni. Li facevano entrare in certi canali, li imprigionavano lì e poi li prendevano a mazzate. Il mare si tingeva di rosso, per via di tutto il sangue. Enrico ne rimase molto impressionato.

Sulla punta c'era una piazzola panoramica da dove si vedeva un'isoletta minuscola e spoglia. «Quella si chiama Isola Piana» ed era effettivamente piana, non c'era una collinetta a pagarla oro. Meno male, pensò Enrico.

La sera a cena andarono tutti e quattro al ristorante, si sarebbe mangiato il pesce, in particolare il tonno.

«Quale tonno, quello che hanno preso a mazzate?».

«Ma cosa dici Enrico, adesso li pescano in un'altra maniera».

«E quale?».

«Boh, cosa ne so, Enrico».

Solito modo di fare dei grandi, non sanno mai niente e le sparano grosse.

Nel ristorante i camerieri salutavano caldamente il nonno e la signora Grazia, come se fossero amici. La cosa strana è che li chiamavano il signore e la signora Scevola. Mi sono perso qualche cosa? pensava Enrico. Eppure la mamma non diceva niente.

Boh?

Amedeo presentò Caterina come sua figlia, dalla prima moglie, il che, fino a prova contraria, era vero, ed Enrico come il suo nipote. I ristoratori fecero mille complimenti.

A tavola l'Amedeo, che nel ristorante era conosciuto come signor Alberto, cercava di mostrare la sua familiarità con le vicende carlofortine. Provò a spiegare a Enrico che lì erano arrivati i genovesi e che per questo ancora si parlava il dialetto genovese. Ecc. ecc. Ma all'Enrico di queste questioni storiche non gliene fregava assolutamente niente, semmai gli interessava della faccenda dei tonni che venivano massacrati a mazzate e che coloravano tutto il mare di rosso.

Consonni in quel periodo aveva avuto modo di sperimentare la cucina di Carloforte.

Il tonno te lo servivano in tutte le salse: bottarga, musciamme, tunnina, cappunadda, ecc.

E la cassolla, che a lui ricordava la sua cassoela, ma che non c'entrava niente perché era un piatto di pesce.

Siccome erano genovesi facevano un pasticcio di ragù di tonno, dove però ci infilavano anche il pesto, e questo era il pasticcio alla carlofortina. A Caterina non piacque granché, Consonni ci rimase quasi male. Enrico voleva la pizza, si accontentò di una focaccia.

Era talmente esausto che si addormentò al ristorante.

Si risvegliò la mattina dopo, accanto alla mamma, nel lettone dove dormiva Grazia. Ma eravamo poi così sicuri? Ormai, da che la mamma era separata dal papà, Enrico la sapeva lunga. Aveva capito che se fra un uomo e una donna c'è flanella finiscono per andare a dormire insieme nel lettone, anche se non capiva esattamente perché.

Ma bisognava ripartire.

Il nonno si mise a piangere un'altra volta

«Enrico, mi raccomando, questa è una cosa seria, non devi mai raccontare a nessuno che mi hai visto qui, almeno finché non sarò io a tornare giù a Milano».

«Okkey nonno, non lo dirò a nessuno».

«Soprattutto non lo dire al tuo papi Roberto».

«Okkey».

«E nemmeno al Carlo».

«Non ci penso nemmeno».

«E neanche ai tuoi amici».

Enrico annuì, obtorto collo.

Grazia li accompagnò al porto, l'Amedeo i suoi addii preferì darli a casa, non voleva farsi vedere così commosso in pubblico.

Dal porto partivano i traghetti per la terraferma, che a dire il vero terraferma non era perché era un'isola anche quella.

Però non presero il traghetto. Grazia li accompagnò ad un altro piccolo molo, dove ad aspettarli c'era qualcosa che Enrico non si sarebbe mai aspettato.

Era un motoscafo grigio a forma di missile, con i vetri davanti che sembravano occhi incazzatissimi, come i fari delle BMW, per intendersi.

Il motoscafo aveva i vetri neri, e nessuna scritta sui lati o dietro.

A Enrico parve di averlo già visto, in un film o alla tele.

Ci salirono sopra.

La sua andatura assomigliava un po' a quella del Frecciarossa. All'inizio se ne partì tranquillo, a velocità ridotta. Ma appena fu un pochino al largo il pilota dette tutto gas, e quella bestia prese una velocità impensabile. Enrico, dietro il vetro, non avrebbe mai immaginato che una barca potesse andare così veloce. Per fare il superiore chiese a uno che sembrava il capitano, vestito di grigio anche lui: «Ma a quanto va questo motoscafo?».

«Se vuole a 50 nodi».

«Ah, però».

Enrico non aveva idea di quanto fossero 50 nodi, tuttavia non voleva fare la figura dell'ignorante. Per giunta gli avevano messo addosso un giubbotto salvagente arancione, e lui si sentiva un dio, mentre il motoscafo faceva salti e piroette.

A un certo punto il missile grigio rallentò: «Guarda Enrico, ci sono i delfini. I delfini!». Ce n'erano sei o sette che facevano i salti e gli spruzzi. Per fortuna la mamma riuscì a scattare qualche fotografia. I delfini facevano un po' i cretini... e l'Enrico ebbe la sensazione che gli strizzassero l'occhio. Era troppo, era troppo, stava per perdere i sensi. I delfini!

La motovedetta li lasciò a Santa Teresa, dove trovarono la loro Peugeot piccola, quella noleggiata. E chi ce l'aveva portata fin lì, visto che l'avevano lasciata vicino all'elicottero?

Lentamente si tornò alla normalità.

Ripresero il miserevole traghetto per la Corsica e tornarono al villaggio turistico, dove ritrovarono il Carlo, che faceva il cretino, come i delfini, con delle donne tedesche. La mamma si arrabbiò molto, e sarebbe restata incazzata anche il giorno dopo e quello della partenza. Raul se ne era andato via.

L'ultimo giorno non presentò particolari emozioni, ma l'Enrico ne aveva fatto una scorpacciata e passò l'intera giornata a disegnare tavole riepilogative.

Sul traghetto Bastia-Livorno Caterina e Carlo si facevano il muso o litigavano, chi ebbe la peggio fu l'Enrico, che non poté andare in giro e tantomeno nella sala motori. I viaggi sono sempre belli all'andata ma al ritorno fanno schifo. Per giunta pioveva.

Enrico sul Frecciarossa rivide i mostri appiccicosi che tentavano di aggredire il siluro ferrato, rivide anche il Generale che aveva visto nel bagno a infilare un bastone nel sedere della tipa. Valeva la pena di riferirlo alla mamma? Ma perché, tanto quella non lo credeva mai, e aveva altro da pensare, con quel cretino del Carlo. Per giunta il Frecciarossa neanche decollò.

Nonostante la mamma avesse ordinato a Enrico di non raccontare a nessuno del suo viaggio avventuroso, e soprattutto del nonno, il bambino non resistette alla tentazione di darsi delle arie, descrivendo ai suoi compagni il suo volo in elicottero, la sparata sul motoscafo velocissimo, i mostri ameboidi che assalivano il treno Frecciarossa che va alla velocità della luce, la signora morta nel gabinetto del treno, mille delfini parlanti, e anche, parzialmente, il nonno e la poliziotta dotata di armi micidiali, ecc. ecc. Ci aggiunse anche qualche particolare per proprio conto: per esempio, che i delfini erano stati attaccati da un gruppo di squali feroci e che il mare si era colorato tutto di rosso, oppure che il suo amico Raul mangiava i cani vivi. Enrico tenne banco per decine di minuti, lasciando i suoi compagni di materna totalmente irretiti.

Alcuni di questi bambini facenti parte del suo uditorio a casa a loro volta accennarono a queste scene incredibili. La maggior parte dei genitori assicurò il proprio figlio o figlia che si trattava solo di balle, e che lo sapevano tutti che l'Enrico era un gran ballista.

Una famiglia, invece, di quelle molto premurose, attente, e sempre preoccupate di qualsiasi influenza deleteria sul proprio cocco, lo volle far presente alla maestra Morgana, con la scusa che quel bambino, l'Enrico, sottoposto allo shock della morte violenta del nonno, vedesse violenza dappertutto, soprattutto sugli animali, il che era massimamente negativo; e che forse sarebbe stata necessaria una maggiore sorveglianza, perché gli altri bambini potevano risultarne influenzati e traumatizzati. Il loro figlio, Sebastiano Sole (Sole era il secondo nome, non il cognome, che faceva Santoro), la scena del ragazzo che mangia i cani vivi se la sognava di notte. Secondo i genitori Santoro occorreva intervenire in qualche modo. E per fortuna la faccenda della signora col palo in culo non era arrivata alle loro orecchie.

La maestra telefonò, riassumendo i fatti, a Caterina, la quale tagliò corto, anzi cortissimo: «Ne ho abbastanza di queste stupidate. Dica ai signori Santoro che la smettano di rompere i coglioni, loro e quel deficiente di Sebastiano Sole, un nome che la dice tutta».

La maestra restò un po' colpita, ma d'altronde, con quello che la famiglia Consonni aveva dovuto passare!

Tuttavia qualcun altro ebbe modo di ascoltare quella conversazione. Di fatto c'era chi Caterina e famiglia li teneva sotto controllo.

Un signore che si era qualificato come ispettore ministeriale aveva contattato la maestra Morgana. Il dottor tal dei tali aveva detto che era stato informato su certi racconti che il bambino Enrico aveva prodotto dopo un suo viaggio in Corsica e che potevano avere dei significati importanti, in una indagine molto riservata. Il dottore non utilizzò la parola pedofilia, ma chi aveva orecchi doveva intendere. C'era stata una denuncia (l'autore della quale doveva rimanere ovviamente del tutto anonimo) relativa alla situazione – almeno questo è ciò che il funzionario volle far credere all'ingenua maestra – da parte dei genitori di un altro bambino compagno di Enrico che aveva ascoltato i resoconti e ne aveva raccontato i contenuti ai suoi genitori.

«Signora maestra, vorrei parlare col bambino in un contesto diverso da quello familiare, non so se mi capisce. E questo incontro occorrerebbe che rimanesse a carattere di estrema, dico estrema, riservatezza».

Il funzionario riuscì a convincere la maestra ad avere un colloquio personale con il bambino in orario di lezione.

Enrico fu convocato in presidenza, si recò all'incontro con fatalismo, ne aveva dovuti sopportare già molti, di quegli incontri.

Il funzionario mostrò molta calma e professionalità. Arrivò al dunque dopo vari discorsi di avvicinamento.

«E allora il Frecciarossa può volare?».

«Non sempre».

«E il motoscafo, quello volava sulle onde?».

«Sono modi di dire, non è che vola per davvero, si dice così. Lo dicono anche dei ciclisti: oggi Nibali vola. Ma secondo lei vola per davvero?».

Il funzionario capì che aveva a che fare con un osso duro.

«E poi dove siete andati con l'elicottero?».

«Ma quale elicottero, quello me lo sono inventato per fare colpo sui miei amici. La mia mamma ha preso una macchina a noleggio, una Peugeot».

«E dove siete andati?».

«In Corsica, su un'isola, dove c'era un faro, le saline e anche le tonnare, ma i tonni non li ammazzano più a mazzate, e il mare non diventa più tutto rosso».

«Uhmm, e chi c'era in quest'isola? Mica c'era il tuo nonno?».

«Ah» disse Enrico scuotendo la testa, «così avrebbero voluto farmi credere».

«Perché?».

«Perché io lo so benissimo che il mio nonno è morto. Ma la mamma pensa che siccome sono piccolo io queste cose non le devo sapere».

«E cioè?».

«Ho incontrato un signore che assomigliava al mio nonno, ma non era il mio nonno. La mamma ha detto: saluta il nonno, ma vuole che non mi accorga se uno è il mio nonno? Era tutta una finta».

«Ma secondo te perché avrebbero messo su questa sceneggiata?».

«E cos'è una sceneggiata?».

«Insomma, questa roba finta?».

«E che ne so io? Io ho cinque anni, cosa vuole che ne capisca di quello che hanno in mente i grandi».

«Insomma, tu il tuo nonno non l'hai più visto dopo che è morto».

«Ma cosa, ci si mette anche lei? Come faccio a vedere uno che è morto? Mi prende in giro?».

«Be', magari in un sogno, no?».

«Ma che sogno e sogno, i morti quando sono morti non esistono più. Ma mi dica la verità, lei non è uno psicologo, lei è un poliziotto».

Il funzionario rimase un po' sorpreso: si vedeva così tanto?

«E perché dici così?».

«Eh, prima di tutto quelle domande che mi ha fatto lei me le hanno già fatte tanti poliziotti. E come sta il tuo nonno, e l'hai rivisto il tuo nonno, hai più parlato con il nonno. Me l'hanno chiesto 26 volte. E poi lei sotto la giacca tiene una grossa rivoltella, a occhio e croce direi un'automatica. Si è mai visto uno psicologo con l'automatica? Cosa la tiene a fare, per difendersi dai suoi pazienti?».

Il funzionario era un po' imbarazzato. Ma Enrico non aveva finito.

«Poi mi aspettavo che mi chiedesse del fatto del treno Frecciarossa».

«Quale fatto del treno Frecciarossa?».

«Ma come, non lo vede il telegiornale? Ne parlano tutti».

«Be', non saprei».

«Ah, allora nemmeno io, cosa vuole che ne sappia un bambino di cinque anni?».

Il funzionario ritenne che l'incontro poteva concludersi a questo punto. Vagamente ebbe la sensazione che si era fatto coglionare. Ai suoi superiori indiretti riferì dunque che non c'era motivo di ritenere che il bambino avesse veramente rivisto il nonno, e che quindi questo potesse essere ancora in vita.

Caterina al ritorno a Milano si era trovata fra le mani alcuni quotidiani dei giorni precedenti, in Corsica non li aveva letti. Lesse del caso della signora uccisa a bordo del treno Frecciarossa Milano-Firenze, e si stupì non poco.

Il caso era eclatante e misterioso: in un WC del convoglio era stato ritrovato il corpo senza vita di una prostituta nigeriana, a quanto pare impalata.

Il mistero più grosso era che la toilette era chiusa dall'interno: un controllore aveva reperito il cadavere a fine viaggio, a Salerno, aprendo la toilette con l'apposita chiavetta.

Caterina cercò di ricostruire date e orari: pareva proprio il Frecciarossa che avevano preso loro, nel viaggio di andata.

In serata, con prudenza, cercò di riportare Enrico sull'argomento.

Questi la liquidò velocemente: «Ma mamma, te l'ho detto, no? Li ho visti nel bagno del treno».

«Ma li hai visti veramente?».

«Lo vedi mamma, non mi credi mai! Certo che li ho visti».

«E chi era lui?».

«Un generale, no? Quante volte devo dirtelo?».

Marco Malvaldi

In crociera col Cinghiale

«*Tutti mi dicon Maaaa-remmma, Mareeeeee-mm-maaaa...*».

Tranquillo, in un angolo del bistrot, il reverendo Timothy Murchison, cappellano della congregazione anglicana di St Marks, continuò nell'operazione che lo assorbiva da una decina di minuti – ovvero, lustrare il piatto che una volta, circa dieci minuti prima, ostentava un meraviglioso filetto al pepe verde fatto come Cracco comanda.

«*Maaaa a meeeee mi seeeembra u-naaaaaa, Ma-remma amaaaa-aaa-raaaaa...*».

Un pochino meno tranquilla, di fronte a lui, la sua consorte, Lagia Bernardeschi-Murchison, lasciò andare la forchetta sul piatto con un po' più di rumore di quanto avrebbe voluto, e guardò il marito. Il quale, dal canto suo, dopo aver incicciato l'ultimo pezzetto superstite di filetto, continuava a navigare sulla ceramica Wedgwood con abilità consumata, mettendo in salvo gli ultimi rimasugli di salsina naufragati nel corso del pasto. Dopo aver guardato il religioso per qualche secondo, la signora alzò laicamente gli occhi al cielo.

«*L'uuu-ccello che ci va, per-de-la peeeeeee-nnaaaa...*».

Molto meno tranquilli, alcuni degli ospiti del Quartier Latin si stavano guardando con espressioni variabili, tra il divertito e lo sgomento, ma parecchio più sullo sgomento.

Non che avessero tutti i torti, a guardare bene quello che stava succedendo.

Da un angolo dietro il ristorante, trascinando con voce stentorea la penna dell'uccello di cui sopra, era apparso un tizio vestito da crociato, con elmo e tunica bianca su cotta di maglia ferrata.

«... *io c'ho perduto u-na, per-so-na caaaaa-a-raaaa...*».

Dietro di lui, piano piano, comparvero in lenta ma decisa processione un consistente numero di tizi anche loro vestiti da crociato, che cantavano *Maremma amara* brandendo spadoni di gommapiuma e spade giocattolo di Star Wars, con tutto il vigore che solo quattro aperitivi a stomaco vuoto possono dare.

Per dare un'idea precisa dello sgomento degli ospiti del ristorante, sarà opportuno fare un paio di precisazioni.

Pur essendo un ristorante francese, il Quartier Latin non è affatto su suolo francese, come d'altronde la maggior parte dei ristoranti francesi di tutto il mondo. A essere precisi, non è nemmeno su suolo, dato che il Quartier Latin è solo uno dei cinque ristoranti della *Hesperion Garden,* ammiraglia della flotta Olympus Crusades. Al momento, la *Hesperion Garden* sta costeggiando l'isola di Lanzarote, nelle Canarie, raggiunte dopo un viaggio di cinque giorni come da programma, senza che le condizioni del mare avessero turbato minimamente il maestoso incedere del natante. Che, d'altronde, ha una stazza in grado di sopportare mari ben più agitati, visto che si parla di un giocattolino da centotrentamila tonnellate, lungo più di trecento metri, capace di trasportare più di mille membri di equipaggio e più di tremila ospiti facendoli dormire nelle sue tremilaottocento camere e facendoli svagare lungo i suoi venti ponti, per una superficie totale di quasi nove chilometri quadrati.

Il problema è che quando trenta di quei tremila ospiti sono della Loggia del Cinghiale, qualunque nave è piccina.

«O Timothy...».

«Dimmi».

«Ma come, dimmi? Ma non li senti 'sti tizi che cantano?».

«Sì, sono abbastanza stonati. D'altronde la crociera dura solo altri due giorni. Non posso fare miracoli». Il reverendo Murchison, asciugandosi le labbra con il tovagliolo, alzò gli occhi dal piatto con aria seria. «E anche se potessi, credo che dovrei astenermene. Non sarebbe opportuno per un pastore anglicano».

«O Timothy, ma chi se ne frega se sono stonati, scusa. È che è una settimana che rompono i coglioni, scusa sai se parlo francese». Monna Bernardeschi-Murchison appoggiò la forchetta sul piatto ammezzato e fece un sorrisetto tirato al cameriere. «Ma un po' di tranquillità, Dio bonino...».

«Lagia...».

«Sì, sì, scusa. Non nominare il nome di Dio invano. Certo son trentasei anni che vivi a Firenze, ormai lo dovresti aver capito che è un modo di dire».

E invece, il motivo per cui Lagia Bernardeschi continuava ad amare quell'uomo alto e di una magrezza quasi offensiva, visto quanto mangiava, era proprio il suo essere impermeabile a tutte le cose irritanti tipiche dei fiorentini, e in generale dei toscani. Il parlare prima di pensare, il non riflettere sulle conseguenze delle proprie parole, il turpiloquio facile, tutti vizi che avevano circondato Lagia sin dalla prima infanzia, che anche lei aveva, e che nonostante questo negli altri le davano fastidio, al reverendo Murchison erano assolutamente sconosciuti.

Lady Lagia fece un piccolo sorrisetto, più sincero di quello rivolto al cameriere.

«E però un po' di voglia te la mettono, di bestemmiare. Uno viene in crociera apposta per avere un po' di tranquillità e si ritrova fra le gonne questi debosciati. Ma come si fa...».

Con una piccola smorfia, il reverendo fece capire che non era d'accordo. Anche Timothy Murchison amava sua moglie, e se qualcuno avesse avuto dei dubbi sarebbe bastato conoscere il senso di angoscia che lo stesso reverendo provava nei confronti dei viaggi organizzati, delle gite collettive e, soprattutto, delle crociere.

«Non son tanto debosciati, non credere. Ce n'è qualcuno che ha una bella testa. Quel tizio lì, per esempio, è un matematico».

«Chi, quello con le mutande in testa?».

«No, quello è un chimico, lavora in una azienda del Nord. Anche lui è uno non male. Ti dicevo, con questo tipo, Massimo... ti ricordi l'altro giorno, che ti avevo raccontato che uno dei più importanti rami della statistica è nato proprio da una discussione tra pastori anglicani, sulla possibilità che esistessero i miracoli?».

«Sì, la storia di Hume e di quell'altri...».

«Thomas Bayes e Richard Price».

«Tòmas Baies e Riciard Pràis» ripeté la signora Lagia. «E te l'ha detto lui?».

«Esatto, me lo ha raccontato lui».

«E sicché quel tizio lì è un professore di matematica?».

«No, è laureato, ma professore non credo proprio. Se non ho capito male, ha un bar».

«Un bar. Laureato in matematica, e ci ha un bar. Te l'avevo detto che questi tizi non sono mica tanto rifiniti. L'altro giorno al karaoke, lo sai uno che ha fatto?».

«Uno» in realtà era il Bernardini, una delle voci più potenti della Loggia, il quale a furor di popolo si era esibito sulle note di uno dei più grandi successi di Filippo Neviani in arte Nek.

All'inizio, disciplinatamente, il Bernardini aveva seguito scrupolosamente il testo sullo schermo man mano che veniva illuminato, mentre il resto degli uditori si sorprendeva a chiedersi per quale mistero certa gente non sia in grado di cantare a tempo nemmeno se glielo fai vedere. «*Laura non c'è / è andata via / Laura non è più cosa mia*», aveva diligentemente seppur anacronisticamente cantato il Bernardini; poi, dopo aver informato il pubblico sull'assenza di Laura e sul fatto che questa cosa poteva avere delle conseguenze, arrivati al ritornello il Bernardini aveva dato sfogo all'interprete che era in lui e aveva, giustappunto, interpretato, mentre alcuni membri della Loggia gli facevano i coretti:

E allora vado al cesso (oh, oh) / mi soddisfo da me stesso (guarda un po') / ma non posso farlo spesso (proprio no) / sennò diventa rosso (e frizza un po').

Dopodiché, agli ordini del comandante in seconda, il Bernardini e gli altri erano stati allontanati dalla sala karaoke e formalmente diffidati dal rientrarvi, pena il confino in cabina.

«In cabina, Massimo? Già a quest'ora?».
Sdraiato sul letto, che pur essendo microscopico occupava circa il cinquanta per cento della cabina, Massimo aveva messo il vivavoce e appoggiato il cellulare al cuscino, che dava alla voce di Alice una nota di morbidezza piuttosto inusuale. Massimo, dopo un sospiro, rispose:
«Sì. Questioni di ordine pubblico. Pare che non si possano organizzare sfilate o manifestazioni su una nave da crociera, a parte quelle di pessimo gusto previste dagli animatori. Tu lo sapevi che il comandante in seconda, quando la nave non è in porto, ha lo stesso potere di un commissario di polizia?».
«Certo caro. Prova a chiederti cosa succederebbe se nessuno sulla nave avesse il potere di far rispettare la legge. Hai un oggetto da qualche centinaio di migliaia

di tonnellate al di fuori di qualsiasi giurisdizione nazionale, completamente isolato da qualsiasi possibilità di intervenire da parte di forze di polizia esterne. Se il comandante non avesse il pieno controllo della situazione, sarebbe un delirio».

«Sì, sì, lo so».

«È anche per questo che fare indagini ufficiali a bordo di una nave da crociera è un casino. Insomma, ne abbiamo già parlato».

«Sì» disse Massimo asciuttino. «In effetti, è per questo che son qui».

La catena degli eventi che avevano portato Massimo ad acquistare un biglietto per una crociera di otto giorni/sette notti era iniziata circa un mese prima. Siccome la crociera era partita il quindici di marzo, una semplice operazione aritmetica ci permette di stabilire che il mese in questione era febbraio; siccome la cosa coinvolgeva Massimo e Alice, è altresì piuttosto ovvio che il punto di partenza fosse stato il BarLume. BarLume che, nonostante tutti i cambiamenti strutturali e gestionali, rimaneva sempre e orgogliosamente un bar, per cui la mattina cominciava con cappuccino e lettura del giornale. Come quel giorno.

«"Vhanno in crociera, gli svuotano la casa. Pisa. Thornareh-dalle vacanze, si sa, non è-mai-bello. Ma per quatthro famiglie abitanti nella zona il ritorno a casa si è tramutato in un-hh-incubo: la casa completamente all'aria, i cassetti svuotati e tirati in terra, il materasso sventrato. Scomparsi"» pausa ansimante «"il televisore, i computer, i gioielli. E l'amharezza che si moltiplica nello scoprire che anche altre threw-famiglie hanno subìto la stessa sorte"».

Su questa cosa che il Rimediotti continuasse a leggere il giornale a voce alta, dopo l'intervento alla carotide che aveva rischiato di togliere per sempre la voce alla cariatide, c'erano state al BarLume alcune divisioni. Il dottore m'ha detto che devo tenermi in esercizio e leggere a voce alta, aveva asserito il Rimediotti. Si vede che spera che tu stianti prima, aveva eccepito Ampelio. Sei lì una volta ogni trenta secondi, vede più te della su' scrivania e pover'omo non ne pòle più. Ho capito che siamo anziani e ci vòle un hobby, ma potevi mettetti a colleziona' quarcos'artro invece de' ticket.

Aldo e il Del Tacca, invece, si erano schierati a favore di Gino; e così, anche stamattina, il Rimediotti leggeva, tenendo come al solito il giornale come se dovesse parargli il vento da prua, il resoconto degli eventi di cronaca.

«"Le quhattro famiglie erano phartite, come tutti gli anni, per un viaggio in una località esotica, alla ricerca del caldo. 'Quest'anno, senza-nipoti, avevamo deciso per la khrociera' dice Alberto Taccini. 'Il Mediterraneo meridionale, il Marocco e la Tunisia'. Ma durante i dieci giorni di permanenza a bordo della nave, lontani da casa, i ladri avevano avuto tutto il tempo di enthrrrare nelle abitazioni e di fare i loro comodi con consumata abilità. 'Non c'era il mfwhinimo segno di scasso' ribadisce Romolo Lupetti. 'Non so da dove siano entrati, crediamo dalla porta. Hanno subito disinserito l'allarme creando un falso contatto'". Bhoia, dei professhionisti».

«Anche parecchio, Gino» disse Alice, le mani a coppa intorno al cappuccino d'ordinanza. «Di sicuro, sapevano che queste persone erano in vacanza per un lungo periodo».

«To', ma quello lo sa anche Di Maio. Tutti l'anni vanno in vacanza questi signori vì».

«Quindi voi li conoscete bene».

«È gente del paese» rispose Pilade, il che significava "hai voglia". «Il Taccini è quello dell'ortofrutta fuori la rotonda, il Lupetti ripara i distributori dell'Agippe, Gambardella cià la concessionaria di macchine agricole lì fuori dell'Aurelia e Malucchi ora è in penzione, ciaveva una ditta di pulizie ma ora è in penzione. Son comunque gente giovane, ar massimo settant'anni».

«Che tempi, certo» osservò Ampelio. «Per di' chi è uno ti tocca di' cosa fa di lavoro. Stiamo diventando un mondaccio».

«E queste persone sono ricche?».

«Mah, 'nsomma. Stanno parecchio bene. I più ricchi sono quell'altri che ci vanno sempre in vacanza insieme. C'è il Venturi che ha una tenuta a Santa Maria a Monte. Anche l'Amidei è uno che ha talmente tanti soldi che se si mette a contalli diventa scemo».

Alice, alzando un sopracciglio, interrogò con lo sguardo Aldo, ben sapendo che i vecchietti erano adusi a gonfiare un po' le cose. Non sempre, diciamo novantanove volte su venti.

«Vero. Una volta sono stato in una delle case dell'Amidei...».

«Ne ha più d'una?».

«Solo a Pisa e provincia, quattro. Tanto per darle un'idea di quale livello di ricchezza si parli, in casa ha un Guido Reni e un Carracci».

«Collezionista d'arte?».

«Macché. Ghiozzo rifinito, ma con i soldi. I quadri sono un'eredità del padre. Poi mi dica lei se uno che ha la sensibilità e il gusto per apprezzare Guido Reni in vacanza andrebbe in crociera con quell'altro gruppo di pensionati a vapore, a rincoglionire dell'altro».

La commissaria, sempre guardando Aldo, annuì lentamente. Poi, silenziosa, poggiò la tazza sul bancone e fece cenno a Massimo di prepararargliene un secondo.

«Eh sì. Sì, torna. Cioè, non torna. Nel senso, uno con dei gusti così raffinati ce lo vedo poco, blindato dentro un transatlantico a fare i trenini col cappellino di carta».

«E questa sarebbe l'unica cosa che non le torna?» chiese Pilade con l'occhio porcino.

«In che senso?».

«Nel senso che, mi corregga se sbaglio, ma io ho notato che quando lei sta in silenzio e parla in progressione...».

«Come?».

«In progressione. Come ha fatto ora. Una sillaba, una parola, una frase, poi una frase lunghina...».

«Cosa succede quando parlo in progressione?».

«Succede che sta penzando. E che c'è qualcosa che non le sconfinfera tanto. Dico bene o dico giusto, Massimo?».

«Tutte e due, Pilade».

«Sì, eccoci. È arrivato l'oracolo. Te cosa ne vorresti sapere?» chiese Alice con finto risentimento.

«Cosa ne vorrei sapere, niente» rispose Massimo, aprendo la lavastoviglie. «Io di lavori ho già il mio, e mi basta. Come straordinari devo già fare da guardia alla Banda Barzotti, qui. Non è che posso mettermi anche a fare il tuo. Già mi sembra che su questo le cose siano ancora da chiarire. Però un pochino di cervello ce l'ho ancora».

«E cosa ti direbbe, amore mio dolce, quel pochino di cervello?» disse Alice con l'aria di chi fa capire che la battuta sul lavoro aveva appena condannato Massimo a una settimanetta di seghe come minimo.

«Che ci sono due aspetti discordanti nel tuo resoconto. Allora: sei famiglie di varia anzianità vanno in crociera tutte insieme, come fanno da anni... Anche stavolta sono andate tutte insieme, desumo».

«Sì, erano tutti insieme. Sei famiglie in vacanza».

«Sei famiglie in vacanza, di cui quattro vengono fatte oggetto di furto durante la vacanza. Quindi, qualcuno sapeva che sarebbero andati in vacanza, perché come coincidenza sarebbe veramente grossina».

«E fin qui siamo d'accordo. Qualcuno viene a sapere che, come tutti gli anni, questi tizi partono in gruppo per una decina di giorni e ne approfitta per svaligiargli la casa».

«Benissimo. Come fanno a sapere che sono andati in vacanza? E, nella fattispecie, in crociera?».

«De', in paese lo sanno tutti».

«Bene. Quindi sei d'accordo con lei» Massimo indicò Alice «che quelli che hanno fatto il furto siano persone di qui, di Pineta e zone limitrofe, o che hanno qualche conoscenza qui».

«Bah, mi sembra chiaro».

«Il tutto senza contare l'assenza di segni di effrazione» continuò Massimo. «Queste persone sono entrate dalla porta. Quindi avevano una chiave, o la copia di una chiave».

«Il che porta ancora di più a pensare che siano di qui, certo» proseguì Aldo, «perché sono stati in grado di fare la copia della chiave prima che i nostri partissero. Giusto?».

«Giustissimo. Settepiù. Allora perché hanno rapinato le case dei quattro, mi si perdoni l'espressione, più poveri? Perché hanno lasciato stare le case del Venturi, che pur essendo vedovo e solo ha quattro case, una per arto? Quattro case pronte per essere svuotate, perché il Venturi non ha parenti che vivono da queste parti ed essendo uno degli uomini più arcigni d'Europa l'eventualità che qualcuno usi una delle sue case in sua assenza è probabile come vedere Donald Trump a un concerto di Orietta Berti? E come mai non sono andati nella tenuta dell'Amidei, che è anche in campagna, isolata e lontana da tutto?».

«Quindi, se sono di qui, la domanda è come mai abbiano trascurato la preda più redditizia. Se non sono di qui, la domanda è come abbiano fatto a sapere che il gruppone andava a fare una bella gita. Sono stato bravo?».

Alice, con lentezza, guardò Massimo con il nasino che faceva su e giù. Poi, dopo aver fatto un piccolo applauso con gli indici, lo guardò languidamente.

«Sai, Massimo, a volte mi scordo che sei una persona intelligente. E questo è il primo problema».

«Me ne consolo. E il secondo?».

«Il secondo è che anche tu a volte ti scordi che anche io sono una persona intelligente. Quello che dici, tesoro mio dolce, è talmente giusto e sacrosanto che è venuto in testa anche a me. Solo che io, non perché sono più intelligente di te, eh, non sia mai, giusto perché ci ho pensato un pochettinino di più, ho capito come risolvere la contraddizione e sono già al passo successivo. Il tuo problema di oggi, Massimo, era il mio problema di ieri».

E il mio problema di oggi, pensò Massimo, è lo stesso di ieri e dell'altroieri.

E dei dieci anni precedenti.

Cioè, se c'è un rompicoglioni in giro tranquillo che mi si attacca. Maschio o femmina, anziano o giovane, tocca a me.

Il problema di Alice, come aveva spiegato Alice stessa a Massimo la sera dopo cena, era che si trovava a un punto morto.

Il motivo per cui le serrature non erano state scassinate, secondo Alice, era semplice: i ladri avevano le chiavi. E anche il modo in cui i malfattori si erano impossessati delle chiavi, sempre secondo la commissaria, era piuttosto semplice: i rapinati avevano l'abitudine, come molti fanno, di tenere una copia delle chiavi nascosta in un posto segreto, noto a loro soli, nei dintorni della casa. E i ladri avevano usato proprio quella.

«Ah. E te l'hanno detto loro?».

«Ma quando mai» disse Alice, riemergendo dal bagno in perizoma e micro sottoveste. «Loro giurano e spergiurano che assolutamente, che figurati se sono così fessi da lasciare la chiave sotto lo zerbino o qualcosa del genere. È chiaro che devono dirlo, poveracci, sennò l'assicurazione col cavolo che gli ridà qualcosa. Però non vedo altra spiegazione al fatto che i ladri siano entrati in quattro case su sei, lasciando perdere proprio quelle più appetibili. Ovvero quelle i cui proprietari sono abbastanza furbi da non lasciare la chiave nascosta in un sottovaso».

«Scusa, ma francamente mi sembra un po' pochino».

«A cosa ti riferisci, alla mise o alle mie deduzioni?».

«Alle tue deduzioni. La mise va benissimo».

Andava bene sì. Fino a poco tempo prima, al momento di andare a letto Alice si presentava inumata in un cilicio di peluche dello spessore di un paio di centimetri, che lei sosteneva essere un pigiama, mentre secondo Massimo era un rifugio antiatomico rimasto invenduto. Massimo, dopo un annetto circa e dopo aver provato varie tattiche, dalla presa in giro alle clamorose toccate al momento di andare a letto, aveva risolto la questione con un doppio regalo, ovvero:

a) un paio di pigiami di seta consistenti di un perizoma e di una sottoveste in stile pornodiva sì, ma con stile;

b) un piumino di piuma d'oca austriaco da spedizione sull'Annapurna, costituito da tre piumini sovrapposti con diverso grado e qualità di riempimento, capaci di mantenere sotto la propria superficie una gradevole temperatura di 39°, che era un po' come dormire con una coperta di mici intrecciati, o provaci a venire a letto vestita da sci.

«Sì, se le cose stessero così e basta avresti anche ragione» rispose Alice scalciando via le infradito. «Però c'è un altro fatto. Non è che andresti dalla tua parte?».

«Carattere chiuso. Guarda che ti stavo anche scaldando il posto».

«Ah bene, bello caldo. Ma come fai?». Alice si tirò il piumino fin quasi sul naso, per proseguire dopo qualche secondo con voce filtrata da oltre la coltre. «Ti dicevo, a quanto pare negli ultimi due anni in giro per l'Italia ci sono stati parecchi casi di rapine multiple perpetrate ai danni di persone mentre erano in vacanza. Tre, quattro case di gente che abitava nello stesso paesotto o nella stessa cittadina svuotate come cocomeri proprio nell'arco di tempo in cui erano fuori città. E tutte queste rapine hanno una cosa in comune».

«Il segno di Zorro su una parete?».

«Quasi. Tutte le persone vittime di furto non erano esattamente in vacanza. Erano in crociera. In crociera sulla stessa nave».

«Sulla stessa nave?».

La bocca di Alice riemerse dalle coperte.

«Sì, Portobello mio. Sulla stessa nave. La *Hesperion Garden*, della flotta Olympus. Adesso, capisci il mio problema?».

«Sì, adesso sì».

Su di una nave, far rispettare la legge e l'ordine è essenziale. Per questo motivo, come si diceva prima, il comandante ha molte mansioni, e molte funzioni. Come primo ufficiale, ha funzioni sia di ufficiale di stato civile sia di ufficiale di polizia, e può celebrare matrimoni, redigere atti di morte e arrestare criminali. Come dipendente di una compagnia marittima commerciale, ha il dovere morale di tenere fuori dai coglioni tutta quella specie di persone che sono per loro natura portate ad indagare sul personale della nave stessa.

«Devi tener conto che per chiedere a una compagnia di navigazione di far salire degli investigatori a bordo devi avere qualcosa di più di un sospetto» disse Aldo, guardando il volantino della *Hesperion Garden* che Ampelio aveva squadernato sul tavolino. «Gli armatori non fanno certo i salti di gioia».

«Capisco. Cattiva pubblicità, intendi».

«Mica solo quello. Se vai nelle cucine di una nave, mediamente il cinquanta per cento del personale è stagionale, sottopagato, fa turni da dodici ore e è in regola con i vari permessi burocratici quanto io sono in regola con il canone RAI».

«Perché, non lo hai mai pagato?».

«Una volta, nel '79. Mia moglie insisteva. Comunque, capisco il problema. C'è tutto un groviglio di legislatura in cui non è facile muoversi. Prima che le diano il permesso di indagare su quella nave, fa in tempo ad andare in pensione».

«Sì, è quello che pensa anche lei».

«Mi fa piacere. Volete sape' quello che penzo io?».

«Mah, io sopravvivo anche senza».

«Te sei sempre il solito screanzato» ribatté Ampelio. «Devi solo ringrazia' che n'hai trovata un'artra che ti sopporta. Io ar posto tuo m'ero convertito, perché se 'un è un miracolo questovì...».

«Se credi sia un miracolo convertiti te. Cosa c'entro io?».

Ampelio si toccò i coglioni direttamente col bastone, in un duplice scongiuro legno-pacco.

«Ma perlamordiddìo. Poi mi tocca anda' in chiesa. Dicevo, ma secondo la tu' fidanzata com'è che queste persone riescono a capi' dove la gente tiene le chiavi?».

«Ingegneria sociale».

«Ingegneria sociale» ripeté Pilade, soppesando le parole. «Ne so quanto prima. Io sapevo che esiste l'ingegneria gestionale, ma questa la sento di' ora».

«Diciamo che quando eravamo giovani noi si chiamava raggiro» disse Aldo. «Oggi, invece, si chiama ingegneria sociale. Praticamente, è una serie di tecniche per ottenere informazioni riservate».

«Ho capito, ma qui 'un si parla di informazioni riservate» ribadì Ampelio, picchiando con le nocche sul bastone. «Qui si parla di chiavi di casa. Ho capito che se uno lo torturi ti dice anche di che colore l'ha fatta, ma questa è un'artra cosa».

«Non così distante» disse Aldo, con un tono che Massimo conosceva fin troppo bene. Il tono sicuro e tranquillo di chi ti invita a metterlo alla prova.

«Hic Rhodus, hic salta» disse Pilade, che evidentemente aveva sentito lo stesso tono.

«Come?» fece finta di niente Aldo, da attore consumato. Sempre rifiutare la verifica alla prima richiesta. Fa troppo esibizionista. Se non ti fai pregare un pochettino, non c'è tensione.

«Ho capito che l'ingrese ti rifiuti di capillo, ma questo qui è latino, Aldo». Pilade fece un cenno verso destra, con il capo, ammiccando alla sala ristorante. «Sarei curioso di vede' se riesci a fatti da' le chiavi di 'asa da quarcuno di questi allegroni qui».

«Scusate, ma anche no» si intromise Massimo. «Io capisco che questo per voi sia il parco dei divertimenti, ma per me sarebbe anche il mio posto di lavoro. Per cui se volete giocare a Diabetik, l'inafferrabile criminale con la calzamaglia a compressione graduata, lo andate a fare in qualche altro posto. L'ultima cosa di cui ho bisogno è una denuncia per molestie a carico di un mio socio».

«Ex socio, prego. In questo momento sono qui come stagista a titolo gratuito, e puoi licenziarmi anche domani. Vediamo un po', ti va bene se fra, diciamo un'oretta...» Aldo si guardò intorno, con aria signorile e disinteressata «... ti porto le chiavi di casa di quel tizio lì? Quello con la giacca e il riportone?».

Massimo, nonostante si fosse imposto di ignorare il tentativo, si sorprese a dare un'occhiata verso la sala, a un lato della quale stava una coppia di aspetto tranquillissimo, lei cinquantenne elegante e ingioiellata come quelle che iniziano a dover contare sui gioielli per farsi guardare, lui sulla sessantina d'età e sul centinaio di peso, che a giudicare da come mangiava erano un problema, sì, ma per lei.

«Aldo...».

«Oìmmei Massimo, come rompi i coglioni» troncò Ampelio. «Ma ti vòi diverti' solo te, ar mondo?».

«Ho capito. Vai, Aldo, vai. Al limite quest'estate si apre un chioschetto di panini sulla spiaggia».

«Il tuo problema, Massimo, è che sei un pessimista» si congedò Aldo, dirigendosi con nonchalance verso la vittima.

«Il mio problema, Aldo, è che sono circondato da ottimisti».

Erano passati circa venti minuti, nel corso dei quali Aldo aveva fatto in tempo a scambiare due chiacchiere apparentemente innocenti con la coppia a cena, con la sua solita cordiale affabilità. Quindi, rientrato nel bar, si era diretto tranquillamente verso la sala biliardo, dove gli altri tre quarti di anzianità stavano aspettando tra un rinterzo e l'altro.

Massimo, dopo aver lasciato Marchino al bar da solo, era entrato nella stanza giusto in tempo per vedere Aldo che, al cellulare, si esibiva nel più signorile ed educato dei suoi saluti.

«Sì, pronto, signora. Parlo con Cinzia? Cinzia Ceccarelli?».

Breve silenzio. Da lì in poi, Aldo prese la situazione in mano.

«Sì, signora. Scusi se la chiamo a quest'ora. Mi ha dato il suo numero Maria Stella Tomei, la signora da cui va a servizio... Sì, esatto. Senta, non vorrei allarmarla, ma il signor Fulvio si è sentito male e siamo qui al pronto soccorso... Eh, pare di sì, o almeno è quello che sospettano... No, no, non si capisce, però hanno detto che lo devono trattenere per la notte e avrebbe bisogno di un po' di cose. Maria Stella mi ha mandato a prenderle, lei non se la sentiva di lasciare Fulvio da solo... eh, certo... però nel casino del momento si è scordata di darmi le chiavi di casa... Ora che sono arrivato in paese me ne sono accorto... allora l'ho chiamata e Maria Stella m'ha detto di passare da lei, se me le può allungare un attimino... sissì, la casa la conosco... dovrei essere in grado di trovare tutto, casomai se... sì, sì, nel cassettone in camera, esatto... Allora arrivo, eh? Mi ricorda l'indirizzo, gentilmente?».

Breve silenzio informativo.

«Ah, proprio qui vicino. Guardi, cinque minuti cinque e son da lei. Grazie ancora, eh».

E, con l'indice, chiuse la comunicazione. Poi, intascato il telefonino, allungò una mano verso l'attaccapanni.

«E ora dove vai?».

«A prendere le chiavi, no? Sennò la poveretta potrebbe preoccuparsi per davvero».

Passarono circa dieci minuti prima che Aldo rientrasse con aria trionfale, gettando sul biliardo un piccolo mazzo di due chiavi unite da un portachiavi a forma di scarpa col tacco.

«Salve a tutti, belli e brutti. E ora cosa mi dite?».

«Che ho rifatto il panno tre mesi fa, e se mi ci ritiri le chiavi te lo faccio ricucire a mano» disse Massimo di malagrazia.

«Badalì. C'è Ampelio che tutte le volte che deve fare un colpo a effetto ci passa l'aratro, cosa vuoi che sia» ribatté Aldo, consapevole del trionfo. «Insomma, eccoci a Rodi. Volevate le chiavi, v'ho portato le chiavi. Ve l'avevo detto, che era semplice».

Appoggiando le stanche membra al lato del biliardo, Aldo estrasse dalla tasca del soprabito una sigaretta (probabilmente scroccata alla donna delle pulizie) e la accese, tanto ormai la sala biliardo è talmente zona franca che per far dire qualcosa a Massimo occorrerebbe che i vecchietti incominciassero a tirarci di coca e non di sponda.

«Punto uno, la fiducia. Occorre crearsi un retroscena che porti la persona da attaccare, cioè la donna delle pulizie, a fidarsi ciecamente. E questo lo fai con informazioni apparentemente innocue. Per cui, la prima cosa che ho fatto è stato andare al tavolo dai signori Tomei e far cadere il discorso sulle donne delle pulizie».

«Prima hai dovuto far cadere un po' di vino sul tavolo?».

«Non ce n'è stato bisogno. Il signor Tomei mangia come se non ci fosse un domani, era all'antipasto e già aveva la cravatta costellata. È bastata una battutina innocente sul fatto che di secondo c'era l'astice, se volevano glielo portavo col parabrezza. E lì parte la catena... com'è quella parola strana che usi te, Massimo, per dire che una cosa tira l'altra?».

«Markoviana».

«Eccola. Insomma, parte la catena markoviana di discorsi da autobus. Tanto lava la donna delle pulizie, lasci perdere che io son disperato, ne cerco una da mesi, io ce ne ho una che è un gioiello, lei sa mica se ha qualche ora libera, guardi non credo perché persone così son rare comunque se vuole le lascio il numero di telefono, la ringrazio, una storia e un'altra. La cosa su cui contavo, perché si vede da lontano che la signora è una persona che all'ordine ci tiene. Ti avrei fatto vedere come allineava le forchette. Una così tiene di più alla donna delle pulizie che a sua madre».

Aldo, che quando parlava non riusciva a stare fermo, spense la sigaretta e prese in mano il cellulare, mimando una chiamata.

«Punto numero due, l'attacco. Chiami una persona e la metti di fronte a una situazione di emergenza: qualcuno all'ospedale. Si sospetta un infarto. Ti presenti con tutte le credenziali in regola, perché il tuo retroscena è perfettamente plausibile. Grazie alle informazioni apparentemente innocue che hai estorto, sei in grado di presentarti in maniera credibile. E grazie alla situazione di emergenza, la persona abbassa le difese. Non ha modo di pensare, non riesce a essere lucida. È come quando ti chiamano all'ora di cena per venderti una nuova tariffa telefonica. Hai fretta, stai pensando ad altro, pur di rimettere le zampe sotto la seggiola dici di sì a qualsiasi cosa».

«Te. Io li mando in culo».

«Te, li mandi in culo. Ma loro giocano sulla statistica. Come in questi casi. Qualcuno li manda in culo. Qualcuno ci casca. Se poi la tua storia è plausibile, ci finisci dritto come un'ancora in mare».

«E se sputacaso, come diceva il Tofani, la signora Cinzia Ceccarelli si preoccupava per davvero e chiamava la signora per sapere come stava il marito?».

«In sala di là? Travi e travicelli, rete elettrosaldata, pianoterra e muri di mezzo metro? L'unico modo per far suonare un cellulare di là in sala è tirarlo nel tavolo. L'ho fatto apposta, così la gente mangia pensando a quel che fa. Almeno quello».

«Ingegneria sociale. Non si finisce mai d'impara'» scosse la testa Ampelio. «È ma questo il problema der dumila, si chiama le cose cor un artro nome e sembran roba guasi da persone ammodo. I licenziamenti non ci son più, li chiamano mobilità. E i raggiri li chiamano ingegneria sociale».

«E le fidanzate invece continuano a chiamatti tesoro, e poi comandan loro» chiosò Pilade. «Vero, Massimo?».

«Vero».

«E quindi, tornando alla nave, ci sono dei manigoldi, pardon, degli ingegneri sociali che evidentemente riescono a farsi dire dalle persone anche il colore delle mutande».

«Anche questo esatto».

«E Alice non sa come fare a indagare su una nave sulla quale non ha giurisdizione. E quindi ha chiesto aiuto a Massimo».

«E tre. Se vuoi l'orsacchiotto di premio chiedi ad Aldo, te ne va a rubare uno subito».

«Sì, però ora si sta parlando di te. Come pensi di risolverla, tutto da solo?».

«Non sarò affatto solo. Saremo in trenta, ad essere precisi. Sessanta orecchie ritte come quelle di trenta dobermann».

«E come li trovi, trenta brodi che vanno in crociera a ascolta' cosa dicano i camerieri?».

«Così» disse Massimo, mostrando l'iPad.

Da: cinghialereale@loggiadelcinghiale.it
A: loggiadelcinghiale@loggiadelcinghiale.it

Oggetto: operazione «Crociati dei Caraibi»

Carissimi,
come sapete la cena sociale annuale del XX anno dell'era del Cinghiale è stata da tempo tramutata in Gita Sociale, stante l'importanza della ricorrenza decennale e la concomitante causa di divorzio del confratello Barbadori, per festeggiare adeguatamente il doppio lieto evento.

Tra le varie proposte giunte, è stato scelto di effettuare la Gita Sociale sotto forma di crociera a bordo della m/n Hesperion Garden, in vista del fatto che:

a) il confratello Viviani ha interesse a passare su detta nave un lasso di tempo non indifferente per via che glie-lo ha chiesto la fidanzata per motivi di sicurezza nazio-nale, e senza la nostra compagnia tale lasso di tempo gli risulterebbe insopportabile;

b) mentre due anni fa siamo stati buttati fuori dall'al-bergo ad Amsterdam quando il Paletti mise il peperonci-no nell'impianto d'aerazione, stavolta buttarci fuori da una nave sarebbe, oltre che disdicevole, anche parecchio dif-ficile, e quindi possiamo veramente sfogarci.

Memori del nostro statuto, e specialmente dell'articolo 5, che vi ricordo dire testualmente «Perché le donne son bone e care ma ogni tanto rompono il cazzo», vi invito a racco-gliere la chiamata del confratello Viviani Massimo e a rispon-dere compatti e grufolanti. Il nome «Crociati dei Caraibi» è stato scelto perché, nonostante la crociera sia alle Canarie, suona parecchio meglio di «Crociati di Tenerife», e chiun-que abbia da ridire è pregato di attaccarsi a questo manico.

Vostro aff.mo,
Leonardo Chiezzi

E così, Massimo si era ritrovato imbarcato insieme a ventinove volenterosi adepti della Loggia del Cinghiale sulla m/n *Hesperion Garden* in rotta verso le isole Cana-rie per una settimana di crociera, con il compito di te-nere occhi e orecchie ben aperti su camerieri di ristoran-ti un po' troppo loquaci e pronti alla battuta, e soprat-tutto italiani. E, insieme, di riposarsi un po'; questo Ali-ce non lo aveva detto esplicitamente, ma si intuiva.

Compito che Massimo aveva assolto con entusiasmo, anche perché prevedeva di testare ripetutamente ogni singolo ristorante della nave. I quali, come detto, erano cinque, ognuno di livello assolutamente rispettabile per non dire ottimo; cosa del resto ampiamente preventivata, perché per stare una settimana o più su una nave da crociera senza incorrere in ammutinamenti la gente va tenuta buona in tutti i modi possibili e immaginabili. Una ricetta universale per far felici le persone non esiste, ma una cosa è certa: facendole mangiare male, vai nella direzione contraria.

Massimo quindi si era immerso nella missione anima e corpo, soprattutto corpo, e fino a quella sera aveva sperimentato almeno due volte tutti e cinque i locali, dal Polikalò (cucina greca rivisitata, da urlo la moussaka 2.0 con pomodori biscottati e cialde di formaggio croccante su crema di melanzane) al Crackling Queen (carne e patate: qualsiasi tipo di carne alla brace, dal canguro al manzo Kobe, e qualsiasi tipo di patate, dalle bucce di patate fritte, ruvide e croccanti, al purè di patate viola). Unica eccezione il Chankonabe, sushi bar&bento restaurant in cui Massimo si era avventurato una volta sola e non era più tornato, dopo aver appurato a) che i camerieri erano tutti giapponesi autentici che di italiano non capivano una mazza e b) che il pesce crudo faceva senso anche in crociera.

Ma, a parte questo, Massimo aveva svolto il suo compito con competenza, solerzia e soprattutto discrezione.

Quest'ultimo aggettivo, a onor del vero, non si attagliava al resto della compagnia.

La Loggia del Cinghiale si era già fatta notare all'inizio del viaggio, durante la presentazione dei crocieristi, quando il comandante in seconda aveva dato nel suo migliore inglese il benvenuto al gruppo più numeroso, «thirty persons from Follonica, Italy», che avevano salutato il resto della ciurma con un poderoso rutto del Tenerini che non aveva alcun bisogno di traduzione; e, durante il corso del viaggio, le cose erano andate peggiorando. In maniera costante, ma con alcuni picchi. Anche a causa, va detto, dell'equipaggio della motonave, poco propenso ad accogliere i suggerimenti della Loggia per quanto riguardava le iniziative ludiche di bordo.

La proposta di organizzare un concorso di bellezza femminile volto a premiare la più antipatica della crociera, a cui donare la bellissima fascia con la scritta MISS TAI SUI COGLIONI stampata dal Ghini in eleganti caratteri oro, era stata inspiegabilmente bocciata dagli animatori; parimenti, la richiesta della Loggia di poter proiettare la pellicola *Moana principessa dei vampiri* sul maxischermo del cinema da 300 posti in occasione del compleanno del Bottoni era stata rigettata senza fornire giustificazione alcuna. Le cose erano andate quindi lentamente deteriorandosi fino al giorno della cena sociale, ovvero il presente sabato, nel corso della quale i trenta erano stati fermati dai più nerboruti membri dell'equipaggio e rinchiusi agli arresti in cabina fino al termine della crociera.

«Dai, dai. Ma non ti senti un po' James Bond? A proposito, un agente segreto che si rispetti magari il vivavoce al telefonino non lo tiene. Fra l'altro, rimbomba tutto» disse Alice.

Massimo guardò il telefono come se improvvisamente si fosse messo a trasmettere musica folk.

«Non vedo come potrebbe rimbombare qualcosa. La cabina è talmente piccola che se volessi leggere dovrei aprire la porta, altrimenti non avrei spazio per aprire il libro. Il letto invece è un capolavoro di falegnameria. Almeno, la bordatura di mogano mi piace molto. Ha anche gli angoli ai gomiti, credo per tenere meglio il libro. Sui cuscini di raso, invece...».

«Massimo, smettila. Lo sai che su questa cosa non mi piace scherzare».

«Sì, scusa. È che prima mi chiedevi se non mi sentivo un po' James Bond. Se devo essere sincero, al momento tendo più sul Silvio Pellico».

«Esagerato. Almeno lui qualche risultato l'ha ottenuto. Te, invece...».

«Massimo, invece, ha fatto del suo meglio. Le cose sono come sono, e non come si vorrebbero. Se vuoi abbiamo tutto il tempo per riassumerle, tanto devo stare chiuso in cabina per altri due giorni. Allora: camerieri in forza ai cinque ristoranti, in totale, novantasei. Di questi, italiani zero. Che parlano italiano, di sicuro sette; ma temo molti di più. Il personale è in maggioranza greco, e questi imparano una lingua in sedici secondi; mettici che di lavoro fanno i camerieri e dimmi cosa ottieni. In più, percentuale di camerieri socievoli in modo esagerato, più o meno cento per cento. Non ce n'è uno che si faccia i cazzacci suoi. Non saprei quindi dirti se qualcuno di questi coincida con qualcuno dei sospetti identificati dai pinetani depredati. Se ce ne sono. Ce ne sono?».

«Guarda, lasciamo perdere. Ho interrogato i quattro in questi giorni, chiedendogli se ricordavano di qualche cameriere particolarmente interessato alle loro abitudini. Chiaramente, ho dovuto spiegare loro quali erano i nostri sospetti. È successo un canaio».

«Si sono arrabbiati?».

«Arrabbiati? Neri. E con ragione, purtroppo. Sono venuta a sapere che Gambardella, uno dei quattro a cui sono entrati in casa, una decina di anni fa ha subito un'altra rapina. Solo che all'epoca dentro casa c'era anche lui. È stato minacciato con la pistola alla tempia, e poi ne ha prese da diritto e da rovescio. Altro che chiavi sotto la fioriera, mi ha detto. Io me le porto sempre dietro, ne esiste una copia sola, e non ce le ha nessun altro».

«Tutto regolarmente denunciato, immagino».

«Assolutamente. Uno così le chiavi in giro non le lascia. Poco da fare, Massimo. Abbiamo seguito una pista sbagliata».

«Abbiamo?».

«Senti, ora non fare tanto la vittima. Intanto ti sei fatto una settimana di crociera con i tuoi amici, mentre io ero qui sotto la pioggia a interrogare vecchi bavosi più ricchi di quanto si meritino».

«Vero. Guardando al presente, la vacanza è quasi finita e ne passerò il resto a guardare il soffitto della cabina. E da solo».

«Povero amore mio. Almeno i pasti in camera te li portano?».

«Assolutamente. Purtroppo, inizieranno da domani mattina».

Stare chiusi da soli in una stanza, sia pure una cabina di una nave da crociera, non è divertente. Per questo Massimo, avendo finito l'unico libro che si era portato dietro (*Informazione* di Von Baeyer, meraviglioso ma un pochino profetico nel tono), alla fine del giorno dopo era disposto più o meno a tutto per avere un po' di compagnia.

E quando si dice tutto, si intende più o meno tutto.

Fu così che, verso le sette di sera, dopo una rapida telefonata al comandante in seconda, Massimo sentì bussare alla porta.

«Avanti».

«Buongiorno» rispose una voce educata, con una lievissima traccia di accento inglese.

«Buongiorno a lei, reverendo. Grazie di aver accettato di passare in cabina».

Il reverendo Murchison, con un sorrisetto, si guardò intorno cercando un possibile posto dove sedersi. Risolto che avere anche una sedia, nell'esiguo spazio a disposizione, sarebbe stato troppo pretendere, si accomodò sulla moquette incrociando le gambe.

«È mio dovere di ecclesiastico passare a trovare chiunque richieda i conforti religiosi» disse, sorridendo anche con gli occhi. «Una delle richieste che non si possono mai negare a un carcerato, o comunque a una persona privata della propria libertà, no?».

«Sì, ero sicuro che avrebbe colto lo spirito. Mi perdoni

se mi sono permesso, ma dopo un giorno passato in isolamento avevo la necessità fisica di parlare con qualcuno».

«Ma scherza? Ha fatto benissimo». Il reverendo Murchison si tolse gli occhiali e cominciò a pulirli lentamente con il polsino della camicia. «Primo, perché mi ha evitato il torneo di burraco. Secondo, anche se sono in vacanza, resto sempre e comunque un uomo di chiesa. Chissà, magari riesco a convertirla».

«Guardi, reverendo, tornando alla nostra prima e ultima conversazione, quello sarebbe veramente un miracolo».

«Non sono d'accordo. Secondo lei, che cos'è un miracolo?».

«Non saprei proprio. È come chiedermi che cos'è un sarchiapone».

«Allora, mettiamola così: che cos'è che le persone chiamano miracolo?».

Massimo allargò le braccia.

«Ah, non saprei. Io non sono le persone, sono Massimo Viviani. Qui posso al massimo fare una citazione. Ambrose Bierce, per esempio, diceva che un miracolo è una violazione delle leggi dell'universo fatta ad opera di un singolo questuante...».

«... che per di più se ne dichiara indegno» ridacchiò il reverendo. «Sì, *Il dizionario del diavolo*. È un'operina notevole. No, io credo che noi chiamiamo miracolo una violazione di quelle che *crediamo* essere le leggi della natura. Un mio conterraneo, Lord Kelvin, diceva che l'uomo non avrebbe mai volato su un meccanismo di sua invenzione, perché questo avrebbe viola-

127

to le leggi di natura. E Lord Kelvin era il più eminente fisico del suo tempo. Lei pensi a quante cose si possono fare, oggi, che a una persona di cento anni or sono sarebbero sembrate miracoli. Possiamo comunicare da una parte all'altra del globo tramite le onde radio, tramite i satelliti. Possiamo mandare informazioni di ogni tipo... Che c'è? Si sente male?».

Domanda giustificata. Massimo, infatti, aveva chiuso gli occhi e aveva incominciato a dondolarsi piano piano sul letto, come un derviscio in preghiera. Dopo qualche attimo, mentre il reverendo Murchison stava cercando di valutare la probabilità che quello scontroso ma piacevole semisconosciuto gli vomitasse addosso, visto che tutto sommato il mare non era nemmeno tranquillissimo, Massimo aprì gli occhi e sorrise.

«Mi scusi, reverendo. Le dispiace se faccio una telefonata? È questione di un minuto».

Preso il cellulare, Massimo premette un tasto; quasi subito, la segreteria telefonica di Alice disse con voce flautata che la persona chiamata era impegnata in un'altra conversazione, e se si voleva lasciare un messaggio era necessario attendere il segnale acustico. Cosa che Massimo fece, per poi scandire:

«Vicequestore Martelli, qui è l'agente segreto ZeroZeroBeppe. Per favore, potresti chiedere ai due non rapinati se qualcuno di loro due, o tutti e due, hanno l'abitudine di lasciare le chiavi di casa sotto lo zerbino o di darle a una persona di fiducia? Grazie. A presto». Chiusa la chiamata con un preciso gesto del pollice, sorrise al reverendo. «Mi scusi, reverendo. Dicevamo?».

Il reverendo Murchison, essendo inglese e esercitando come cappellano a Firenze, era abituato da una vita a trattare con gente un po' strana e a trovare la cosa perfettamente normale; pur tuttavia, in questo caso la sua espressione tradiva un lieve sconcerto.

«No, mi scusi, me lo dica lei. Persone rapinate? Chiavi sotto lo zerbino? ZeroZeroBeppe?».

«È una storia un po' lunghina. Non so se...».

In una storia, in tutte le storie, quello che conta spesso non è la storia in sé, ma chi te la racconta.

Capita, a volte, che le persone si riconoscano come simili. Non serve molto: il tono di una osservazione, a volte, basta. Poi magari non ci si incontra più, ma in quel poco tempo passato insieme c'è la consapevolezza che, pur essendo unici, non siamo soli.

«Il torneo di burraco non è ancora finito. Non si preoccupi, abbiamo tempo. Ah, già che ci siamo, io mi chiamo Timothy».

«"... e proprio grazie a questa combinazione di informazioni e tecnologia, questo insolito ma efficace cartello tra nave e terra era riuscito a mettere su una impresa criminale efficientissima. Il primo contatto con le vittime avveniva all'inizio del viaggio, quando c'era la presentazione dei crocieristi; in questa occasione Papaioannis, l'assistente di sala, prendeva nota dei gruppi di persone più numerosi che venivano dalla stessa città, per i quali valeva quindi la pena muoversi. A quel punto, mentre la banda a terra si trasferiva nella città in questione la complice di Papaioannis, Ekaterina Thanatoglou, cameriera ai ponti, penetrava nelle camere degli ospiti dopo essersi fatta assegnare al servizio nel ponte corrispondente, in modo tale da poter entrare nelle camere senza destare sospetti. Una rapida ricerca che, spesso, portava al ritrovamento delle chiavi di casa dell'ignaro crocierista, di cui la Thanatoglou prendeva un calco. Qui aveva luogo il vero e proprio colpo di genio del Papaioannis, che con uno scanner laser 3D riusciva a scannerizzare in tre dimensioni il calco, e ottenere quindi un file con la perfetta descrizione spaziale della forma e dimensione della chiave, il quale veniva quindi spedito ai complici a terra. La banda, a quel punto, non doveva fare altro che fabbricare con una comunissima stampante 3D una copia in plastica della chiave, che sarebbe stata utilizzata come matrice per fabbricare, tramite il comune procedimento di fresatura che si vede anche nelle ferramenta, una chiave perfettamente funzionante"». Giunto a metà dell'articolo Ampelio prese un respiro profondo, non si sa se dettato da impressione o da fiatone. Il Rimediotti, che fino a quel punto aveva morso il freno, non ce la fece più a trattenere il luogo comune.

«Mahrmma mia. Ormhai 'un-si pole più sorti' di-casah. Dhove wai-wai, c'è da ave' phaura».

«De', c'è Tràmp con la valigetta della bombatomica e te hai paura di du' ladruncoli?».

«Poi Ampelio, se ti entrano in casa a te ar massimo

ti rubano la dentiera» osservò Pilade. «Oppure ti rapiscano la moglie. E poi ti tocca paga'».

«Per fammi rapi' la moglie a me mi tocca paga' prima. E io 'vaini 'un ce l'ho nemmeno per sta' a casa, figuriamosi se ce l'ho per anda' a giro in crociata».

«Comunque, in una cosa Gino ha ragione» disse Pilade. «C'è veramente da avere paura. Prima, l'informazione era importante. Ormai è diventato tutto informazione. Tutto può essere trasmesso, tutto può essere mandato. Non conta più la cosa in sé, conta cosa ti arriva».

«Dissento» disse Aldo. «C'è ancora qualcosa che non può essere ancora informazione. O almeno, che non può essere trasmessa».

«Davvero» disse Ampelio, palesemente incredulo. «E cosa sarebbe?».

«Quella roba quasi nuova che hai fra le orecchie, Ampelio» disse Aldo, sorridendo. «La stessa cosa che Massimo ha usato per arrivare a capire come avevano fatto i ladri, e per quale motivo erano solo quelli che avevano lasciato la chiave sotto la fioriera che paradossalmente non erano stati rapinati. Si chiama cervello. Te sei buono solo a mangiarlo fritto, la maggior parte delle persone lo usa solo come ricetrasmittente, altre persone invece lo adoperano anche per ragionare. Anche se ho tanta paura che, come usanza, anche questa stia scomparendo piano piano...».

Gaetano Savatteri

La segreta alchimia

«Saverio, ventiquattro o trentadue?».

«Trentadue».

«Accadì?».

«Certo, Peppe».

«Consiglierei Full HD, oltre due milioni di pixel» interviene il commesso.

«Miii, hai sentito Saverio? Due milioni».

«Due milioni sono due milioni, non si scherza» annuisco.

«Ha il telecomando?» chiede Peppe Piccionello.

Il commesso reagisce manco avessero offeso sua madre e la madre di sua madre.

«Ma, signore mio, tutti hanno il telecomando».

«Devi fare sempre la figura dell'uomo delle caverne» faccio a Piccionello.

«Domandare non è vergogna» dice Peppe.

«E sputarti è cortesia, in questo caso».

«Saverio, perché non ti fai un giro? Qui accanto c'è un bel negozio di pentole».

«Ragione hai, Peppe. Mi serve proprio una padella antiaderente».

«Ecco, bravo. Ci vediamo tra mezz'ora».

In testa gliela sbatterei una padella antiaderente. Tanto lo so come finisce: Peppe Piccionello da anni dice di voler comprare un televisore, fa un bel giro in un negozio, si informa su tutti gli ultimi modelli e poi non prende mai niente.

A me personalmente questo vizio non sembra nemmeno così grave, ce ne sono di più turpi, come mettersi in fila alle tre di notte per conquistare l'ultimo modello di iPhone. Il problema è che stavolta Peppe mi ha chiesto di accompagnarlo e non ho trovato una scusa già confezionata per dirgli di no. Se avessi immaginato che aveva puntato un centro commerciale a Castelvetrano, a più di ottanta chilometri da Màkari, avrei accampato l'annosa questione delle infrastrutture siciliane, la scarsa manutenzione dei manti stradali e le statistiche dell'infortunistica automobilistica sulla rete viaria extraurbana, ma Peppe si era già fatto prestare la Seat Ibiza di sua cugina, aveva indossato un nuovo paio di infradito e sventolava il dépliant di Euronics che prometteva sconti fino al 50 per cento. Non ho avuto cuore di spezzare un'emozione così grande.

Una padella antiaderente costa ventotto euro e settanta centesimi. Sinceramente, mi sembra peccato sprecare tanti soldi per spaccarla sulla testa a Peppe, anche se la commessa – molto graziosa, seppure con unghie ricostruite e troppo sbrilluccicanti – mi spiega che ha il fondo in pietra ollare. Provo a immaginare il rumore della pietra ollare, che non so manco cos'è, inferta con la forza di circa quaranta chili espressa dal mio braccio a una velocità di circa diciannove chilometri all'ora sul cranio di Piccionello. Secondo me suonerebbe meglio quella classica di acciaio, ma la ragazza con le unghie Swarovski mi spiega che non ne fanno più, e me ne propone altre di pietra lavica, di ceramica smaltata o a particelle di granitech. Non ci sono più le padelle di una volta, questa la dico anche se è una stronzata, ma la commessa ride e scopro che uno Swarovski le brilla pure sull'incisivo laterale destro superiore. Troppo perfino per me.

WhatsApp mi deposita, caldo caldo, un messaggio di Suleima.

«Ancora con le tv di Peppe?» chiede.

«L'ho lasciato che flirtava con un Samsung».

«E tu?».

«Vorrei la verità: meglio una padella in pietra ollare o lavica?».

Attendo. Suleima sta rimuginando, ormai lo capisco dal tempo che impiega a rispondere.

«Saverio, la verità. Com'è?».

«La padella?».

«Non fare lo scemo. La commessa del negozio di padelle».

«Normale».

«Stai attento. Vengo lì e vi prendo a padellate, prima a te e poi a quella».

Le spedisco una serie di cuori e di smile.

Magari venisse fin qui a prendere tutti a padellate, ma da Milano non sono proprio due salti. (Se dico due salti in padella, e soprattutto se mai lo scriverò, chiunque è autorizzato a togliermi il saluto).

137

Mi aggiro per il centro commerciale: se fossi bravo quanto Francesco Piccolo potrei tirarci fuori un libro molto ironico, molto disincantato e molto di sinistra sul nomadismo delle tribù meridionali nei templi del consumismo decadente. Magari qualcuno me lo pubblicherebbe, però ci dovrei mettere almeno tre citazioni di Pasolini.

Telefonata.

«Saverio, dove sei?».

«Ciao papà, al centro commerciale di Castelvetrano. Peppe vuole comprare un televisore».

«E ci credi ancora?».

«Io no. Ma lui finge di crederci».

«È così da anni. A forza di andare nei centri commerciali, dice che prima o poi sarà premiato come milionesimo cliente e gli regaleranno una tv».

«Proprio un'idea da Peppe Piccionello».

«Ma non è che io mi faccio sorpresa di lui, Saverio. Mi faccio sorpresa di te. Sei andato fino a Castelvetrano».

«Ho capito, papà».

«Invece di perdere tempo, perché non scrivi? Dici che vuoi scrivere un libro buono, e vai appresso alle scimunitaggini di Peppe. Mimì mi ha parlato di questo Antonio Manzini che scrive libri fenomenali».

«Lo so, papà».

«E non puoi scriverne uno così?».

«Tutti quelli buoni li ha già scritti Manzini, devo accontentarmi di quello che resta».

«Pure la televisione ha fatto, questo Manzini».

«Lo so, papà. Tu l'hai visto in tv?».

«No, ma li ha visti Mimì. Dice che sono speciali».

«Appunto, prima compriamo la tv per Piccionello, sennò quando faccio la fiction, poverino, se la perde».

«Mah. Io non so se è peggio lui o tu che gli vai dietro».

«Ciao, papà. Ti sento in forma».

«Saverio, ti sei offeso?».

«No».

«E sbagli. Dovresti offenderti. Ciao, Saverio. C'è Mimì che sta citofonando, mi porta i libri di Manzini. Non perdere tempo al solito tuo».

Quando ritorno dalle parti di Euronics intravedo un capannello davanti alla teoria di tv color che rimandano tutti la stessa immagine di Barbara D'Urso. Al centro c'è Peppe Piccionello con i suoi bermuda color carta da zucchero, infradito turchesi e una T-shirt blu con la scritta sul petto: «Sky of Sicily. Non serve abbonamento né decoder».

Mi avvicino.

«Signor Piccionello, le assicuro che è veramente l'ultimo modello» ripete il commesso.

«Ultimo ultimo?» chiede Peppe.

«Ultimissimo. Vero direttore?» fa il commesso a uno con la camicia bianca.

«Guardi, è arrivato meno di un mese fa. Full HD, tuner digitale terrestre, tuner satellitare, risoluzione 1920 per 1080, ingresso HDMI e USB, due anni di garanzia con polizza kasko. Una cosa da sogno» spiega il direttore.

Piccionello osserva il televisore da sogno.

«E se lo porta via con meno di trecento euro» aggiunge il commesso.

I due seguono i movimenti di Piccionello che gira attorno all'oggetto, lo scruta, stringe gli occhi, lo annusa da vicino.

«Stai controllando se è fresco?» gli sussurro.

«Cretino eri e cretino rimani».

«Secondo me è pescato almeno da tre giorni».

«Devo ridere?».

«A tua discrezione».

«Ha visto? Un gioiellino» fa il direttore.

Peppe fissa il direttore, poi il commesso, poi me. E di nuovo il direttore.

«Bello, non c'è niente da dire».

«È l'ultimo arrivo della stagione» ripete il commesso.

«E l'altro quando arriva?» chiede Peppe.

«L'altro quale?» dice il direttore.

«Se questo è l'ultimo arrivo della stagione, vuol dire che con la stagione nuova ne arriva un altro» fa Peppe.

Il commesso e il direttore si guardano tra di loro.

«Presto arriverà un nuovo modello, giusto?» delucido.

Adesso comincio a divertirmi.

«Sì, ad ogni stagione arrivano nuovi modelli. Vero?» chiede il direttore al commesso.

«Sempre più nuovi» conferma quello.

«Bene. Allora non è l'ultimo, ma il penultimo» dice Piccionello.

«No, è l'ultimissimo» insiste il direttore.

«Direttore, direttore» fa Peppe con il ditino alzato, «a me non mi deve babbiare. Questo qui è il penultimis-

140

simo modello, non l'ultimissimo. Allora tra qualche tempo ritorno, così decido: se l'ultimo mi piace lo compro, sennò compro il penultimo, ma lei mi fa un prezzo speciale perché non è che mi può vendere per nuova una cosa vecchia. Giusto?».

Il direttore si gratta la testa. C'è qualcosa che gli sfugge. Secondo me ha bisogno dei suoi tempi per capire che Piccionello lo sta prendendo per il culo.

La pausa di riflessione del direttore mi offre l'occasione per trascinarmi Piccionello. Appena ci allontaniamo, il direttore si sfoga col sottoposto: a qualcuno tocca sempre il ruolo di monsieur Malaussène, capro espiatorio dei capricci del cliente, lo ha spiegato Daniel Pennac.

Cerco di filare via da Euronics, insalutato ospite, portandomi dietro l'ineffabile Piccionello. Ma le leggi del marketing hanno la meglio: davanti alle casse l'occhio mi cade sulle Duracell stilo e superstilo. Tentazione irresistibile: paghi due prendi tre. Acchiappo due confezioni di stilo AA e una di batterie AAA, in base al principio delle nonne sagge per cui un'offerta commerciale non va mai perduta. La cassiera con i suoi infrarossi – anch'ella piena di Swarovski, ma sulle palpebre – decodifica il codice a barre che rivela un modesto conteggio di otto euro e novanta centesimi. Cerco in tasca, ho solo due pezzi da cinquanta.

«Peppe, hai dieci euro?».

Piccionello tira fuori dalla tasca una banconota stropicciata.

«Ecco, signorina».

Nel momento in cui la cassiera mi restituisce il resto, i cieli si spalancano, eruttano le cataratte celesti, gloria in excelsis deo, alleluja, alleluja, Freddy Mercury intona we are the champions, s'ode a destra uno squillo di tromba, a sinistra risponde uno squillo, dell'elmo di Scipio s'è cinta la testa, Italia chiamò, poropò poropò.

Piccionello mi stringe un braccio.

«Saverio, che succede?».

Tutti i commessi del centro commerciale applaudono e sorridono, sorridono e applaudono. Dentro una colonna sonora a metà tra la marcia trionfale dell'Aida e il soundtrack di Rocky, mi vedo bersagliato dai flash degli smartphone (scoprirò più tardi, su Facebook, che io e Piccionello, stretti l'uno all'altro, abbiamo le facce degli scantati del presepio, l'espressione dei pastorelli di Fatima davanti alla madonna).

Da qualche parte spunta fuori una troupe televisiva, mentre la commessa delle padelle con unghie Swarovski mi sorride complice, facendo intendere che lei sapeva tutto da chissà quanto tempo.

«Lei come si chiama?» chiede la giornalista piazzandomi un microfono davanti alla bocca.

«Lamanna. Saverio Lamanna».

«E il suo amico?».

«Piccionello Giuseppe detto Peppe».

«Se lo aspettava?».

«Ma cosa?».

«Lei è il milionesimo cliente del centro commerciale».

«Siete sicuri?».

«Clienti abituali?».

«Veramente è la prima volta».

«La fortuna dei principianti. Cosa prova?».

«Ma che devo provare?».

«Emozionato?».

«Non si vede?».

«Vuole dire qualcosa? Lanciare un messaggio?».

«Sì, per la pace nel mondo».

«È un pensiero generoso».

«E non costa niente».

La giornalista si volta verso l'operatore.

«Questa frase poi la tagliamo. Sta arrivando l'amministratore delegato, riprendilo».

L'AD si presenta, non capisco il nome: avrà trentacinque anni, jeans e maglietta Ralph Lauren, parlata emiliana o su di lì.

Altre fotografie, riprese, ecco si metta nel mezzo, così, bene, sorridete, sorridete. Discorso.

L'amministratore delegato la prende alla lontana, esalta le magnifiche e progressive sorti del commercio isolano, l'indice dei consumi a famiglia, la modernità, il chilometro zero, la domanda e l'offerta, la micro e la macro economia, i sapori di una volta, le vie del vino, le vie dei formaggi, le vie del signore che sono infinite, tanto che siamo proprio noi e non altri i milionesimi, e vorrà pur dire qualcosa (ma cosa?).

Peppe Piccionello continua a bisbigliare al mio orecchio, mentre la commessa delle padelle si annoia e comincia a contare tutti gli Swarovski che costellano la galassia delle sue unghie.

«Peppe, che dici?».

«Ci danno il televisore. Hai visto che avevo ragione?».

«Se lo racconto a mio padre gli prende un infarto. Fammi sentire, va'».

L'AD sta concludendo.

«... e soprattutto siamo felici di poter festeggiare questo traguardo con due persone che con la loro stessa presenza ci danno il segno della modernità, del superamento di ogni pregiudizio, della conquista di nuovi orizzonti civili e sociali, capaci di vivere la propria sfera privata senza remore e timori, a dispetto di tutti coloro che vorrebbero descrivere la Sicilia come una terra di arretratezza».

«Ma che vuole dire?» mi chiede Peppe sottovoce.

«Si è convinto che siamo sposati».

«Noi due?».

«Sì, ma non è un'offesa. Anzi, vuol dire che siamo moderni».

«Allora non dico niente?».

«Non dire niente. Sorridi».

L'AD si avvicina, mi stringe la mano, altri scatti, arco panoramico dentale a favore di telecamera, passaggio di busta, photo opportunity, grazie, prego, tornerò.

«Che c'è nella busta?» dice Peppe.

«Non lo so».

«Aprila».

«Aspetta, ci stanno osservando. Saluta, piuttosto».

«Dalla a me».

Peppe prende la busta, tira fuori due fogli stampati. Un sorriso e ho visto la sua fine sul suo viso.

«Che succede?» gli chiedo.

«Niente».

«Non ti piace il modello?».

«Non è un televisore».

«E cos'è?».

«Un viaggio a Praga per due».

«Andiamo in viaggio di nozze. Non sei felice, cara?».

«Io volevo la televisione».

«Tesoro, la vita è crudele».

«Ti sposerei solo per poter divorziare. Così non ti vedo mai più».

«Lo so, Peppe. Quest'amore è una catena».

I tramonti di fine settembre sono troppo lunghi. Troppo lenti e troppo lunghi. Viaggio in autostrada sulla musica di Rds: si è fatto tardi a forza di aperitivi nel bar del centro commerciale, dove tutti ci abbracciavano e si facevano selfie con noi, i miracolati della grande distribuzione.

Piccionello dorme, immagino stia sognando un telecolor di 55 pollici a schermo ricurvo che lo abbraccia con tutti i pulsanti accesi.

Penso a Praga, al Ponte Carlo, a Staré Město e a Malá Strana. Penso al Castello di Praga e al Castello di Kafka, al golem e al ghetto ebraico, a Angelo Maria Ripellino, alla sua *Praga magica* che non sono mai riuscito a leggere fino all'ultima pagina e a una ragazza praghese che avevo conosciuto a Londra una decina di anni fa: si chiamava Tereza proprio come la protagonista dell'*Insostenibile leggerezza dell'essere*, ma quando andai a cercarla, tre mesi dopo, si presentò col suo ragazzo all'appuntamento sotto la torre dell'orologio e finimmo tutti e tre da U Fleků a bere birra. Mi ubriacai allo stremo. Ricordo solo che mentre il fidanzato di Tereza mi aiutava a risalire le scale dell'albergo dalle parti di piazza Venceslao gli accarezzavo la testa e gli sussurravo «cornuto», ma con molta tenerezza.

La stessa tenerezza che ora mi acchiappa nel tramonto struggente sui viadotti della A29, pensando al regalo inaspettato della sorte che mi offre un weekend romantico a Praga con Suleima, dopo quasi un mese di assenza, da quando ha trovato lavoro (che strana parola: lavoro. Non a caso in siciliano si dice travaglio, forse perché complesso e rischioso quanto un parto podalico), un lavoro a Milano in uno studio di architettura molto chic, molto cool, molto figo, ovviamente dentro un loft.

«Pensi a Suleima?» mormora Piccionello.

«Non dormivi?».

«No, facevo finta. Allora, ci stai pensando?».

«A cosa, Peppe?».

«È una bella occasione. La puoi portare a Praga».

A volte Peppe mi sorprende. È veramente generoso.

«Peppe, mi hai letto nel pensiero».

«Lo so. Quando fingo di dormire riesco a leggere nella mente degli altri».

«Tre giorni a Praga con Suleima. Sarebbe una bella cosa».

«Ma certo. La picciotta travaglia, mischina, siete lontani da un mese. Praga è la città dell'amore».

«Quella è Parigi».

«Anche Praga, me l'ha detto mio compare Sarino che ci va da quarant'anni».

«Tuo compare Sarino va dalle mignotte di Praga, secondo me».

«E allora? Sempre amore è».

«Peppe, io non so come ringraziarti. Mi dispiace che ti sacrifichi. Sei un vero amico».

«Sacrificio?».

«Rinunciare al viaggio per Suleima».

«Chi ha detto che rinuncio al viaggio?».

«Hai detto che devo portarci Suleima».

«Certo. Andiamo a Praga, tu le regali un biglietto da Milano e ci vediamo tutti lì».

«Io, te e Suleima?».

«Camere separate. Voi nella vostra, io nella mia».

«Apprezzo il tuo senso della privacy».

«Ho capito, ti stai incazzando. Ti ho dato un'idea buona, ma te la prendi con me».

«Se vogliamo essere precisi, il regalo l'ho vinto io. Le batterie le ho comprate io, ho ancora lo scontrino».

«I dieci euri te li ho dati io».

«E siccome mi hai prestato dieci euro, sei diventato mio socio?».

«Io ci ho messo il capitale, tu la fortuna. È una società di fatto».

«Ti immaginavo più generoso».

«Generosissimo sono. Non ti ho chiesto nemmeno di restituirmi i dieci euro».

Penso a Praga. A Suleima. A Piccionello con le infradito ai piedi a tre gradi Celsius sopra lo zero. Esco dall'autostrada a Castellammare del Golfo, preferisco affogare il mio scontento nella ricotta calda di una cassatella.

«Voglio proprio vedere come vai a Praga con queste ciabatte» dico, fermando l'auto davanti al bar all'ingresso del paese.

«Non ti preoccupare. Quando partiamo?».

La televisione è accesa. E in tv ci sono io. Poi Piccionello. Poi l'amministratore delegato del centro commerciale. Di nuovo io.

«Questo lo conosco, è lo scrittore di Màkari» dice il cameriere, le spalle alla porta del bar, la faccia alla televisione.

«Quello che scrive delle nostre cassatelle?» chiede il proprietario da dietro la cassa.

«Sì, lui. Tutte le fortune sempre agli stessi. A chi assai, a chi niente» risponde il cameriere.

Il bar è vuoto. Si sente la mia voce dallo schermo.

«La pace nel mondo».

«E che c'entra la pace nel mondo?» commenta il proprietario.

«In effetti niente, ma non sapevo cosa dire» dico.

«Dottore Lamanna, ma che sorpresa. Lei qui, e anche lì» e il titolare indica la tv.

«Sono come padre Pio. Ubiquo».

Il cameriere ci osserva con uno sguardo da torero.

«Armando, due cassatelle ai nostri amici» ordina il proprietario.

Armando esegue, flemmatico quanto un matador nell'arena alle cinque de la tarde.

Il proprietario del bar mi fissa mentre mangio la cassatella.

«Ne vuole un'altra?» chiede.

«No, grazie».

«Lei è il famoso signor Piccionello, vero?» chiede ancora.

Peppe annuisce a bocca piena.

L'uomo squadra Peppe dalla testa ai piedi.

«Ma allora è vero che va in giro sempre in pantaloni corti e infradito?».

«Come vede non mi invento niente» dico, ripulendomi con un tovagliolo di carta le mani impiastrate di crema di ricotta.

Il titolare del bar si avvicina confidenziale.

«Allora, dica la verità: il sottosegretario che l'ha licenziata dal ministero dell'Interno è proprio quello là che pensiamo tutti?».

Sorrido con complicità.

«Mia nipote diceva che era un altro. Ma io l'ho capito subito. Mi dispiace però che lei abbia perso il lavoro così, per un cretino».

«Non lo dica a me. Sono tornato in Sicilia proprio per fare il disoccupato».

«Per fortuna, qui dalle nostre parti è in buona compagnia. Voglio dire: per sfortuna».

«Quindi lei ha letto il libro? Sono contento».

«Per la verità no. E chi ce l'ha il tempo? Ma mia nipote me lo ha raccontato».

«Mi saluti sua nipote, anche da parte del mio editore».

Armando studia la maglietta di Piccionello.

«Non la capisco» commenta.

«Nessuno le capisce, non si preoccupi» dico e chiedo un bicchiere d'acqua minerale.

«Ma dove le trova?» chiede Armando.

«Le inventa la figlia della cugina. Un cervellone quella ragazza».

«È inutile che sfotti. Ha studiato all'estero» precisa Piccionello.

«Se all'estero ci restava era meglio per tutti».

«Sei invidioso. Infatti quella sta all'estero e tu qui a fare ragnatele» aggiunge.

«E la sua ragazza, quella col nome strano? È tornata al nord?» mi bisbiglia il proprietario.

«Suleima? No, quella non esiste. L'ho inventata io».

«E infatti».

«Infatti cosa?».

«Troppo bella era. Una così non può esistere».

«E se esiste non si mette certo con uno come lui» conclude Piccionello. Ma mi strizza l'occhio. Lo so che ha voluto farmi un complimento.

Sul mare luccica l'astro d'argento, placida è l'onda, prospero il vento. Spizzico semi di girasole, seduto sul terrazzino che guarda Monte Cofano e il golfo di Santa Margherita, sulla stessa poltroncina dove sedeva sempre mamma, dove è morta: da allora papà non ha mai più rimesso piede a Màkari.

Avrei voglia di una Marlboro rossa, ma ormai sono quattro mesi che non fumo. Devo cercare un lavoro, mi dico. Sul conto corrente ho trovato un accredito del mio editore: ha liquidato l'anticipo per il prossimo libro che dovrei consegnare tra un mese, ma non ho scritto nemmeno la prima riga.

Considerando che non ho più uno stipendio fisso da giugno, da quando sono stato cacciato via dall'ufficio al Viminale per avere scritto un comunicato dove una volta tanto facevo dire una cosa intelligente a quel cretino del sottosegretario (questa me la devo ricordare: mai attribuire cose sensate agli stupidi, non le capiscono), il mio reddito pro capite non è messo male. Mi aiuta la media regionale bassa che non arriva a 17.000 euro all'anno: se fossi lombardo potrei già presentarmi alla Caritas. In Sicilia ci vuole poco ad essere benestanti.

Telefono.

«Cosa fai?» chiede Suleima.

«Riflettevo sulle umane e divine cose».

«Non è troppo impegnativo?».

«No, ormai sono abituato. E tu?».

«Sto uscendo dallo studio».

«Alle dieci di sera?».

«Testina, qui siamo a Milano».

«Questa la so. Lavoro guadagno, pago pretendo. Stai attenta, puoi prendere il vizio».

La sento ridere. Mi piace quando ride così. Le vorrei dire che mi manca, ma temo di apparire troppo sentimentale.

«Ti trovi bene?» le chiedo.

«È passata solo una settimana, però è interessante».

«Come si chiama?».

«Chi?».

«Questo interessante».

«Sei il solito idiota».

«Vedi che ho comprato la padella. Vengo lì e ve la spacco in testa a tutti e due».

«Non vale, rubi il mio personaggio».

«Hai ragione. Io sono più ecumenico: andate e moltiplicatevi».

Sento la distanza. Della telefonata. Della stagione che se ne va. Del tempo che scorre. Dei luoghi che diventano suoi e che io non conosco. So che questo lavoro è importante per lei, ma so anche che adesso è più facile perderla. Forse ci siamo già persi. Io tumulato a Màkari fuori stagione, disoccupato di successo, sotto l'astro d'argento di fine settembre e Suleima nella Milano del dopo Expo, splendente di piazze Gae Aulenti, corsi Como, lounge bar e fondazioni Feltrinelli.

«Saverio, se vuoi il prossimo weekend vengo a Màkari» mi dice.

«No».

«No?».

«Basta Màkari. Perfino Marilù sta chiudendo l'albergo per l'inverno, qui non c'è più nessuno».

«Ma se ho visto che ci sono ancora ventotto gradi».

«Ma lo sai com'è in Sicilia. Sotto i trentadue gradi è già autunno inoltrato».

«Cosa c'è, Saverio?».

«Andiamo a Praga».

«Dove?».

«Praga. Hai presente? Kafka, re Rodolfo, gli alchimisti».

«Io e te?».

«Io, te. E Piccionello».

«Il triangolo no, non l'avevo considerato».

«Poi ti spiego. Ma dimmi di sì».

«Con te io vado dappertutto, Saverio».

«Vestiti pesante. Voliamo a Praga».

Poi ci diciamo cose che non mi va di riportare.

E mi sento meno triste. Le discese ardite e le risalite.

Metto dentro la pashmina che avevo comprato quando ero ancora ricco. Camicie, magliette, mutande.

Controllo: mancano quattro ore alla partenza del volo Ryanair da Trapani, aeroporto Vincenzo Florio, destinazione Praga, aeroporto Václav Havel.

La valigia sul letto quella di un lungo viaggio.

L'evocazione del caro vecchio Julio Iglesias mi risveglia la nostalgia di Teresita, la mia app di apprendimento dello spagnolo che ho un po' trascurato negli ultimi tempi. Sarà arrabbiata?

¿Hola, que pasa?

La prende alla larga.

«¿Hola, que pasa?».

¿A dónde vas?

«A Formentera».

¿A dónde vas?

Insiste. Sospetta qualcosa. Ho scaricato Teresita quando sognavo di andare ad aprire un chiosco di granite siciliane a Formentera, per questo volevo imparare lo spagnolo. Per il momento il progetto è solo rinviato. Non credo che a Praga, col freddo che fa, ci sia una forte domanda di granita.

«¿A dónde vas?» ripeto, altrimenti Teresita non va avanti.

Con tigo. En todas partes.

Ma questa si è mangiata il cervello. Vuole venire con me, dappertutto.

«Grazie, ma non sentirti obbligata».

¡Con tigo! En todas partes!

Oddio, stiamo diventando una folla. Io, Piccionello, Suleima e ora pure Teresita (che peraltro sta abbastanza antipatica a Suleima).

«Occhei. Va bene. Con tigo. En todas partes» e mi affretto a chiudere l'app. Mentre Teresita si spegne, mi sembra di sentirla cantare col suo tipico accento castigliano.

Se mi lasci non vale
Se mi lasci non vale
Dentro quella valigia
Tutto il nostro passato
Non ci può stare.

Sto diventando pazzo, lo so. L'ho letto su «Robinson», l'inserto di «Repubblica», che si comincia così, sentendo le voci; era successo pure ad Alda Merini.

«Allora, dobbiamo perdere l'aereo?».

Un'altra voce, è di Piccionello.

Mi volto e capisco che, oltre alle voci, soffro di allucinazioni.

Davanti a me c'è uno che assomiglia allo Zeb Macahan del telefilm *Alla conquista del West*.

Chiudo gli occhi. Appena li riaprirò non ci sarà più niente e sarò tornato in me, sarà stato solo un sogno a occhi aperti.

«Sei diventato più scimunito del solito?» mi chiede l'uomo mascherato.

«Peppe, come cazzo ti sei impupato?».

«Classico ma informale» e si gira su se stesso.

Riesco a diagnosticare un paio di stivaletti Camperos El Charro pitonati a punta stretta con tacco da quattro centimetri, jeans stonewashed, camicia di velluto blu a righine strette, giacca di renna con frange.

Cerco a tentoni una sedia, mi tremano le gambe. Già mi immagino per le strade di Praga accanto all'ultimo dei mohicani.

«Che ne dici? La classe non è acqua» fa Piccionello.

«Acqua».

«Appunto, non è acqua».

«Peppe, un bicchiere d'acqua, per piacere. Avverto un'improvvisa secchezza delle fauci».

Bevo. Guardo con attenzione l'urban outfit di Peppe. Era meglio in mutande e infradito. Ogni dettaglio in sé è spaventoso, ma l'insieme è terrificante.

«Scusami, Peppe. Voglio essere molto pacato. Molto sereno. Ma pensi di andare a una minchia di festa di carnevale?».

«C'è qualcosa che non va?» mi chiede un po' mogio.

«Direi proprio di sì».

«Ho anche un paio di pantaloni beige, forse ci stanno meglio, vero?».

«Sì, Peppe, forse il beige sta meglio».

Mi rassegno. Dovrò abituarmi a viaggiare con Buffalo Bill.

Tanti anni fa avevo letto un racconto di fantascienza. Parlava di una macchina che collegava tutti i computer del mondo, capace di dare qualsiasi risposta a qualsiasi interrogativo. Al momento di accenderlo, lo scienziato che lo ha costruito rivolge la prima domanda al cervello elettronico: Dio c'è? Un fulmine si scatena dal cielo, colpisce il tasto di accensione, lo blocca per sempre su On e il computer dice: adesso Dio c'è.

Ecco, l'algoritmo che assegna a caso i posti sui voli low cost è un po' come quel dio elettronico. Per grazia ricevuta dalla divinità del sito di Ryanair, ho un posto abbastanza lontano da Peppe Piccionello. Così posso far finta di ignorare gli sguardi e le gomitate che accompagnano il suo passaggio sul Boeing 737-800 mentre si avvia verso la poltrona 28D – gli mancano solo speroni e stella da sceriffo – destando il buon umore e la sorpresa del pubblico pagante, per la gioia dei grandi e dei piccini.

Per di più, lo Zeus che si annida nel sito della compagnia irlandese nell'assegnarmi la poltrona 11C mi fornisce per compagno di viaggio, esattamente al numero 11B, un esemplare del genere umano di sesso femminile, sprovvisto di neonato urlante o di gabbietta contenente piccolo animale domestico, ma dotato piuttosto, a una prima occhiata, di una terza abbondante di seno, occhi color indefinito ma tendenti al blu mare, labbra portatrici sane di Chanel Rouge Allure Pirat e presumo altre conseguenti virtù che mi riprometto di verificare de visu nel corso dei centosessanta minuti del volo FR8236.

Come diceva l'ingegner Gadda, le inopinate catastrofi non sono mai la conseguenza o l'effetto che dir si voglia d'un unico motivo, ma sono come un vortice, un punto di depressione ciclonica nella coscienza del mondo e infatti succede che la passeggera perfetta della poltrona 11B, prima ancora del decollo, vada a rovistare nella sua borsa YSL, ma nel tentativo di estrarre la copia di «Vogue France», il suo iPhone con cover diamantata Swarovski salti fuori come da un pacco a molla, rimbalzando sul mio braccio sinistro, poi sul ginocchio destro, per finire tra i miei piedi e nel cortese gesto di riprenderlo per porgerlo alla legittima proprietaria, il display si illumini mostrando un selfie della stessa in abbigliamento balneare con costume stringatissimo bianco che rivela i lati migliori della sua prorompente personalità. Lei sorride, io sorrido.

«Carina la tua amica. Me la presenti?» dico.

«Mi dispiace, devi accontentarti di me».

Prima che venga dato l'ordine di spegnere tutti i dispositivi elettronici a bordo siamo già ai preliminari, piacere Saverio, piacere Larisa; prima ancora che parta la lotteria con i suoi ricchi premi e la quota di beneficenza al Gaslini di Genova, siamo buoni conoscenti; all'altezza della Sardegna ci scambiamo confidenze intime sul clima, sulle differenze tra la Repubblica Ceca e l'Italia, sulla bellezza della Sicilia e sulla ricchezza enogastronomica dell'isola più grande del Mediterraneo.

Sfoggio il mio inglese, anche se Larisa parla un delizioso italiano con venature caucasiche. Le offro un caffè americano e un cornetto al modico prezzo di cinque euro e cinquanta, mentre mi racconta che è di Mosca, vive a Londra, ha studiato un anno a Firenze, lavora nell'ufficio pubbliche relazioni di una multinazionale, è venuta in Sicilia per il matrimonio di un'amica e va a Praga a trovare un parente. Io mentalmente traduco e infioretto: escort d'alto bordo, spia di Putin, amante di un oligarca, puttana in trasferta, killer professionista, bondgirl disoccupata.

Seguo il movimento delle sue labbra pittate di rosso, avverto la pressione del suo braccio contro il mio, misuro le gambe accavallate con le Jimmy Choo tacco dieci ai piedi e penso al destino dei popoli, alla rivoluzione d'Ottobre, al sol dell'avvenire, alla dittatura del proletariato, ai gulag, a Stalin, a Solženicyn, alla primavera di Praga, quando la piazza fermò la sua vita, sudava sangue la folla ferita, al muro di Berlino, al tramonto del comunismo e ringrazio per un momento la Storia ché se ci fosse ancora la Cortina di Ferro non potrei stare serenamente seduto accanto all'ottima compagna bolscevica Larisa, alla fila 11 del Boeing 737-800 sul volo Ryanair Trapani-Praga.

«Saverio». Peppe Piccionello mi bussa sulla spalla.

Leggo lo stupore sul volto di Larisa, le sue labbra dischiuse formano un cuore perfetto come nelle pubblicità dei rossetti Guerlain.

«Ti presento il mio amico Kit Carson» le dico.

«È un attore?» chiede Larisa.

«Sì, ha appena finito di girare *C'era una volta il West*».

«Cretino» dice Peppe. «Lo sai chi c'è su questo aereo?».

«Tex Willer?».

«Quando hai una ragazza accanto diventi più scimunito del solito» mi sussurra.

«Va bene, Peppe. Dimmi chi c'è».

«Santo il Monaco».

«E chi è questo monaco santo?».

«Quello di San Vito Lo Capo che passa tutto il giorno in chiesa e gira con i sandali francescani. Per questo lo chiamano Santo il Monaco».

«Ho capito, un membro della tua tribù dei piedi nudi».

«Saverio, fai passare il piacere quando fai così».

«Ma che devo fare? Appena atterriamo diamo la notizia all'Ansa: Santo il Monaco va a Praga».

«No, devi dare la notizia che sei fesso col giummo e col pennacchio. Anzi, non ce n'è bisogno perché tanto lo sanno tutti».

Mi salva la turbolenza sulle Alpi che rispedisce Piccionello al suo posto.

Larisa si è divertita. Ride con gli occhi blu cobalto in un modo che mi fa sentire il dottor Živago nella dacia innevata. Mi manca solo la balalaika.

Assolte le formalità di rito all'aeroporto di Praga, scopro che Pecos Piccionello Bill è salito al rango di celebrità: non c'è ragazzino sotto i quindici anni che non lo fotografi con lo smartphone, mentre ventidue studenti del Liceo Fazello di Sciacca in gita di gemellaggio lo inseriscono al centro di un selfie collettivo che andrà nel giro di otto minuti sulle loro pagine Instagram con la seguente didascalia: #incontripraghesi #PiccionelloDjango #ByQuentinTarantino #pituttalavita #love.

«La prossima volta prova con il costume di D'Artagnan» gli dico.

E io che volevo passare inosservato.

«Sei solo invidioso» mi fa.

«È vero. Pensa che da bambino sognavo di essere Clint Eastwood».

Larisa mi è sfuggita alla vista, ma ho fatto in tempo a farmi lasciare il suo numero di telefono e a darle il mio. Non si sa mai, in qualche altra vita.

«Io sono già in albergo. Casini con la valigia» mi scrive Suleima.

«Cioè?».

«Smarrita».

«Ma a che ti servono i vestiti? Non credo che usciremo dalla camera».

«Ti sopravvaluti».

«Ti stupirò».

«Dite tutti così».

Sto meditando una risposta arguta, ma non risentita, quando Piccionello mi presenta Santo il Monaco.

Ha una faccia che ricorda Cucciolo, il più piccolo dei sette nani. Anche l'altezza mi ricorda Cucciolo, con una faccina tonda e glabra, le mani grassocce e due occhioni candidi. Se lo scopre la Pixar ci fa un cartone animato. Porta sandali francescani e una croce di legno al collo.

«Lei è il famoso Lamanna. Peppe Piccionello mi ha

detto che è un grande scrittore» dice, prendendomi una mano tra le sue, col gesto tipico dei preti e dei frati.

«Piccionello esagera sempre, monsignore».

«Non sono un religioso. Terziario francescano secolare, ma laico».

Annuisco, i gradi religiosi non mi entrano in testa.

«Come devo chiamarla?».

«Mi chiami Santo, col mio nome».

«Nomen omen».

«Eggià» sorride compiaciuto.

«Come mai a Praga?».

«Pellegrinaggio».

«Eggià» commento. Traduco mentalmente: questo sicuro va a femmine. Ma sono di larghe vedute, non credo manco ai voti di castità.

Superato il varco d'uscita, vengo investito da un profumo di donna con conseguente abbraccio. Larisa mi bacia su una guancia (a volte sottovaluto il mio sex appeal).

«Sono contenta di averti conosciuto» mi soffia in un orecchio.

«A chi lo dici».

«Quanto resti a Praga?».

«Tre giorni, fino a domenica».

«In che albergo sei?».

«Modrá Růže, in centro».

«Suleima è già arrivata a Praga?» chiede Piccionello con la faccia del guastafeste.

«Ho capito. Non sei da solo» dice Larisa.

Mi piacciono le ragazze sveglie e intelligenti.

Allargo le braccia. Chissà, in qualche altra vita.

La vedo andare via, un po' sottosopra sui tacchi dieci (a volte sottovaluto il mio charme). Riesco a cogliere il movimento di due uomini con le cravatte strette e le scarpe lucide che le si muovono dietro a passo svelto. Faccio le mie ipotesi: guardie del corpo, agenti della Cia, terroristi ceceni? A me la Mitteleuropa fa questo effetto, mi pare sempre di stare dentro un libro di Le Carré.

Piccionello mi osserva.

«Che hai da guardare?» gli chiedo.

«Niente».

«Se spifferi qualcosa a Suleima ti sfido all'O.K. Corral».

Peppe mette su la smorfia disgustata di Lee Van Cleef.

Fuori dall'aeroporto c'è freddo, nebbia e qualcosa di molto europeo. E a mezz'ora di taxi c'è Suleima, finalmente.

Seguo col dito il profilo del naso, delle labbra, del collo. Provo a impararlo a memoria, mi servirà per quando saremo di nuovo lontani. Mi soffermo sul neo vicino all'attaccatura della bocca, questo non lo dimentico mai. Divago sulla curva del seno.

«Cosa pensi?» chiede Suleima, nuda sotto le lenzuola.

«Niente» dico.

«Bugiardo, sei troppo silenzioso. Non è il tuo stile».

«Secondo te quanto tempo ci vuole a perdersi?».

«Che vuoi dire?».

«Quanto tempo ci vuole per dimenticare questa cicatrice, questo neo, questa piega del collo?».

«Le avevi già dimenticate?».

«No. Ma quanto tempo ci vuole? A volte vado a cercare le foto di mia madre perché ho paura di dimenticarne il sorriso, il modo che aveva di piegare le labbra, di mettere la testa di lato. Non c'è più da sei anni, ma ho già perduto qualcosa di lei».

Suleima mi passa le dita fra i capelli.

«Hai paura di perdermi?».

«Deve essere l'età».

«Voi vecchi siete così: vivete di ricordi».

«Scema».

Mi bisbiglia all'orecchio qualcosa che resterà fra noi.

«Non lo avevi mai detto» dico.

«Infatti non l'ho detto, è solo la tua immaginazione».

Sto per rispondere a tono, magari aggiungendo una nota melodrammatica, ma bussano alla porta della camera.

«Sarà il generale Custer?» faccio.

«Ma perché Piccionello si è combinato così?».

«Non so. Gli avevo detto che andavamo ad est, forse ha capito west».

«Dove li trova quei vestiti?».

«Dice che li ha comprati vent'anni fa al mercato americano di Livorno» spiego mentre mi rimetto pantaloni e maglietta.

Bussano ancora.

«Eccomi, arrivo».

Il fattorino consegna il trolley di Suleima, spiega che l'hanno appena portato dall'aeroporto, mi guarda con la faccia di chi aspetta una mancia. Gli do cinque euro.

«Hanno ritrovato la tua valigia» grido.

«Bene, lasciala lì» mi risponde da sotto il getto della doccia. Lo scroscio d'acqua è il richiamo della foresta al quale non so resistere. Apro la cabina, Suleima mi guarda come sa fare lei, da sopra una spalla.

«Saverio, ma tu sai cos'è la privacy?» ride.

«No, a me la privacy mi è sempre stata antipatica. Dal primo momento che t'ho vista».

Il dio delle low cost può essere molto dispettoso. La valigia riconsegnata non è di Suleima, anche se le somiglia parecchio. Il servizio lost&found della compagnia si scusa, chiede perdono, implora pietà, ma non è in grado di stabilire al momento in quale città del mondo sia finito il bagaglio con due vestitini molto sexy ed eleganti, un jeans Levi's, due coordinati intimi neri, un maglione di cachemire, un paio di Blundstone, un paio di décolleté col tacco alto, prodotti per l'igiene personale e un piccolo regalo a sorpresa per me.

Nessuna traccia del trolley Eastpak nero. Nessuna traccia in albergo neppure di Piccionello. Gli lascio un messaggio in reception: quando torni dalla caccia al bisonte, chiamami. Prima o poi, qualcuno dovrà rivelare a Peppe che hanno inventato i telefoni cellulari.

Missione d'emergenza in piazza San Venceslao per rifornire il guardaroba di Suleima, anche se per me potrebbe rimanere vestita com'è per tre giorni perché non riesco a immaginarla meglio di così.

«Perché continui a guardarmi?» mi fa.

«Mi devo riabituare».

«A cosa?».

«Al tuo splendore».

«Attento, Lamanna. Mi stai diventando retorico».

«Lo so. Mi piace confondermi tra la gente qualunque».

«Allora prova a trovarmi, in mezzo alla gente» e scatta avanti tra la folla serale dei marciapiedi di piazza San Venceslao.

La perdo, la vedo più avanti, alza un braccio, si nasconde dietro un tiglio, mi rispunta alle spalle. Ora non c'è più. Disgraziata.

Messaggio su WhatsApp.

«Ti sei perduto, piccolino?».

«Dove sei?».

«Sempre un passo avanti a te».

Faccio un giro su me stesso. Non c'è, non la trovo. Proseguo in direzione del Museo Nazionale. Mi fermo. Vabbè, spunterà prima o poi.

Cinque minuti. Otto minuti. Dieci. Dodici. Comincia a fare pure un po' di freddo. Mi sento un cretino, anzi lo sono.

Le scrivo.

«Dai, smettila».

Altri quattro minuti senza risposta. Mi avvicino al Café Tramvaj, chiedo un espresso di cui mi pento alla prima sorsata.

Mi arriva una foto. Suleima in mutande e reggiseno davanti a uno specchio.

«Se vuoi restare lì, fai come credi. Io mi metto comoda» scrive.

Studio la foto, controllo ogni dettaglio. Un cartellino le pende dalla bretellina destra. Ingrandisco. Ecco, il mio occhio da Sherlock Holmes individua l'indizio rivelatore, la pista da seguire.

Alzo gli occhi. È di fronte a me. Marks & Spencer, dall'altra parte della strada.

Entro dentro di furia, mi guardo attorno, perlustro il terreno di caccia, interpello il guardaporte imperscrutabile quanto un soldato dell'Armata Rossa, chiedo dove sono i camerini del settore donna, mi dirigo dritto lì e spalanco la prima tenda: c'è una che grida manco fossi il mostro di Düsseldorf. Allargo con più precauzione un'altra tenda, camerino vuoto. Ucci ucci sento odor di cristianucci, sto per violare il terzo camerino, quando vengo risucchiato dentro da una mano. E mi trovo incollato alla parete con Suleima ancora in mutande e reggiseno che mi bacia come è giusto fare negli spogliatoi dei grandi magazzini di ogni città.

Così ci trova la commessa che apre la tenda. Ma la ragazza è ceca, e sa che da queste parti usa così. Infatti, con un sorriso ci riconsegna alla nostra intimità.

Alla cassa, ancora commosso dall'ospitalità degli store praghesi, litigo con Suleima per pagare, pregando dentro di me che la carta di credito non dichiari in pubblico la mia indigenza: ottomila e cinquecento corone mi riportano alla nostalgia degli zeri della mia giovinezza quando circolavano le lire, e mi accreditano come il ricco occidentale dal portafoglio gonfio, esemplare eponimo di un'Europa a identità debole, ma con moneta forte, visto che in tutto sono poco più di trecento euro.

«Non dovevi farlo. Mi piaci anche se non ti comporti come Flavio Briatore» mi dice Suleima.

«Sono un vecchio galantuomo del sud».

«No, sei solo un gradasso».

«Rispetto la tua indipendenza: mi restituirai tutto in trentasei comode rate. Questo qui che vuole?».

A gambe larghe, un uomo ci blocca l'uscita.

«Embè?» gli faccio.

«Check fees».

«Equitalia non perdona, nemmeno all'estero».

«Check fees, please» insiste il vopo post comunista.

«Mostragli lo scontrino» dice Suleima.

Offro all'ex agente della Stasi scontrino e sacchetto di Marks & Spencer contenente il famoso coordinato nero di cui sopra, un paio di collant e un maglioncino di lana, cento per cento lana, made in Vietnam.

Studia la ricevuta cercando la prova della più grande evasione fiscale della storia della Repubblica Ceca. Mi restituisce tutto, evidentemente seccato di avere a che fare con il furbissimo Madoff dei Carpazi.

«Passport, please».

Pure il passaporto. Mi agito, già mi vedo spedito in qualche gulag siberiano.

«No passport, devi accontentarti di questo» e gli porgo il mio vecchio tesserino da giornalista che non rinnovo da tre anni.

Lo esamina cercando nella foto qualche mia somiglianza con El Chapo Guzmán.

«Your address in Praha, please».

«Hotel Modrá Růže».

«What?».

«Modrá Růže».

O lui non capisce il ceco o io sono sprovvisto della pronuncia di Franz Kafka. In tasca ho un biglietto da visita dell'albergo, lo tiro fuori e glielo mostro.

«Ah, Modrá Růže» annuisce.

«E io che ho detto?».

Ora l'orfanello della Guerra Fredda sorride soddisfatto.

«Is it ok now, compagno?» gli chiedo.

Continua ad annuire contento e finalmente cede il passo.

«Sciccazzu» gli dico a trentadue denti. E lui sorride più felice di me.

«Ti ho visto un po' teso» mi fa Suleima.

«Ma che dici?».

«Il riflesso condizionato del siciliano davanti allo sbirro di turno?».

«Sì, avevo paura che scoprisse che sono un trafficante di marranzani. Suleima, ti prego. Mio nonno lavorava in prefettura e non indossò mai la coppola».

Le passo un braccio sulle spalle.

«Tu sei troppo giovane. E non sai niente di Jan Palach».

«Qualcosa ne so. E comunque quando è successo non eri nato nemmeno tu».

«È vero. Ma io ascoltavo Guccini quando tu non eri ancora nata».

Ripenso a Jan Palach. Occhieggia di fronte l'insegna verde di Starbucks. La libertà è un muffin. C'è qualcosa che non mi convince.

L'orologio astronomico di piazza Staré Město segna le ventitré. Ma a quest'ora San Paolo e gli altri apostoli non mettono nemmeno la testa fuori dagli sportelli. D'altra parte il mio telefono indica sette gradi, non è il caso di affacciarsi con questo freddo.

«Sai che l'orologiaio che lo costruì fu accecato?» fa Suleima, stringendosi a me.

«Perché?».

«È una leggenda. Dicono che i consiglieri di Praga decisero di strappargli la vista per non fargli costruire un altro orologio».

«Non è così, di sicuro aveva gonfiato le fatture presentate al comune».

Passano quattro italiani, sento che parlano di Nainggolan.

«Ah regà, se famo un selfie?».

Sì, fatelo che un giorno può sempre tornare utile, almeno per ricordarsi di essere stati in quella città del coso, come se chiama, Budapest, Bucarest, no Praga.

«Anvedi chi c'è» dice uno di loro e indica alle nostre spalle. Ho già capito. È Piccionello.

Il John Wayne del Far West of Sicily viene accolto dai quattro giovinastri come un compagno d'armi della cavalleria nordista.

Esauriti i convenevoli, appena i ragazzi se ne vanno salutando rumorosamente da vicino e da lontano, Peppe finalmente si concede a noi poveri mortali incapaci di cogliere la grandezza della sua personalità.

«Sono amici tuoi questi raffinati intellettuali da curva sud?» gli chiedo.

«Sono bravissimi ragazzi».

«Come l'assassino della porta accanto, è sempre una brava persona. Dove li hai conosciuti, all'Istituto di studi filosofici?».

«Qua dietro, dove fanno i panini con le salsicce».

«Comunque, è da mezz'ora che aspettiamo. Quanto ci hai messo? L'albergo è a due passi» gli faccio.

«Lo so. Ma ho incontrato un conoscente».

«Conoscenti? A Praga?».

«Perché? È vietato?».

«Dai Peppe, sai com'è fatto Saverio, lascialo perdere. Chi hai incontrato?» chiede Suleima.

«Il figlio di mio compare Carmelino di Trapani. Fa il cameriere in un ristorante italiano. Ci ha invitato, dice che si mangia bene».

«Non vedo l'ora di mangiare la carbonara boema» commento.

«Perché? Se è cucinata bene».

«Certo, io mangio sempre la carbonara a Praga e il gulash a Enna. Sono contro il chilometro zero».

«Dai, smettetela di litigare. Sembrate una vecchia coppia» fa Suleima.

«Allora è vero?» chiede Piccionello.

«Cosa?» dice Suleima.

«Il tizio al centro commerciale pensava che io e Saverio siamo sposati».

«Un po' lo siete. Ma tu non sei geloso di me, vero Peppe?» e Suleima gli stampa un bel bacio sulla guancia.

«Io nemmeno. Ma non esageriamo» dico.

Facciamo due passi per la piazza. Ci sono pochi turisti, saranno tutti inguattati nei loro B&B a postare selfie su Facebook.

«In questa casa è nato Kafka» e indico l'edificio accanto alla chiesa.

«Saverio, qui parlano tutti di 'sto cristiano. Ma che ha scritto?» chiede Peppe.

«Gregor Samsa, svegliandosi un mattino da sogni agitati, si trovò trasformato nel suo letto in un enorme insetto immondo. È la storia di uno che si trasforma in uno scarafaggio».

«Pure mio cugino Masino credeva di essere un cane. È finito al manicomio» dice Piccionello.

«Solo che Kafka era Kafka, invece tuo cugino è un povero matto» gli faccio.

«Perché mio cugino non ha neanche la seconda media. Magari se scriveva un libro, diventava famoso e non finiva al manicomio».

«E noi leggevamo la Metamorfosi del cugino Masino. Ci vuole fortuna nella vita, pure a credersi un animale».

Siamo arrivati davanti all'albergo. L'acciottolato è bagnato di umidità, Praga è sempre magica, Kafka sta dormendo sogni agitati e forse il cugino Masino abbaia alla luna.

Scatto due foto a Piccionello accanto alla scultura di bronzo piazzata davanti all'ingresso dell'hotel, una specie di pescatore o clochard, non so bene, seduto su una panchina.

«State bene insieme, non si capisce chi è finto e chi è vero» dico.

«Peppe è già un'opera d'arte così com'è» sorride Suleima.

«Ruffiana».

Dall'altra parte del marciapiede c'è un uomo in piedi con le mani in tasca.

«Somiglia all'esattore delle tasse che ci ha fermato prima».

«Ma che dici?» mi fa Suleima.

Appena si accorge di essere osservato, l'uomo scivola via in un vicolo.

«Vabbè, mentre voi giocate a fare Helmut Newton e le sue modelle, io salgo in camera» fa Suleima.

«Te lo mando subito su» dice Piccionello.

«Insomma, Peppe, ti piace Praga?» gli chiedo.

«Si vede che ne ha passate».

«Cosa?».

«Si vede che ne ha passate tante. Sembra che sta per mettersi a piangere».

«Non ti capisco».

«Non so come dirti, Saverio. Tu vedi i turisti, la gente che mangia nei ristoranti, pensi che tutto va bene. Ma questa città ha il pianto in pizzo».

«Sei troppo filosofico per me».

«Perché tu parli sempre e non ascolti mai. Prova a restare in silenzio e lo senti anche tu».

Restiamo in silenzio. Non sento niente. Poi, da qualche parte arriva il pianto di un neonato.

«Che ti ho detto?».

«Peppe, non ho ancora capito se sei troppo intelligente o solo fortunato».

Rispunta Suleima, ha una faccia strana.

«Che succede?» chiedo.

«Non lo so. Venite a vedere».

Il portiere di notte è impassibile e un po' addormentato.

«Allora, che si fa?» gli dico.

Mi guarda e annuisce pensoso.

«It's a trouble».

«Certo, è un problema» confermo.

«It's a big trouble».

«Call the police, no?» dico.

Annuisce poco convinto.

«Figlio delle stelle, che vogliamo fare allora? Call the police» insisto.

«Okkei».

Strascicando i piedi se ne va verso la reception.

La camera è devastata. Le mie cose sono sparpagliate per terra, il materasso appoggiato al muro, sulle doghe del letto è ammucchiato il contenuto della valigia scambiata di Suleima: doveva essere di una donna. Tutti i cassetti divelti dai comodini, dall'armadio, dalla scrivania.

«Ma che cercavano?» fa Peppe, aggirandosi nel soqquadro (questa è una parola che avrei sempre voluto scrivere e qui ci sta proprio bene).

«Guarda, Saverio, il tuo passaporto» fa Suleima raccogliendolo da terra.

«Dentro c'erano cento euro. Controlla».

«Sono ancora qui».

«Non cercavano soldi. Hanno lasciato i documenti che per un topo d'albergo sono merce utile sul mercato nero. E dunque?».

«Tu che pensi?» chiede Suleima.

«Forse c'entra la valigia scambiata. Magari là dentro c'era qualcosa che non sappiamo».

«Ma come facevano a sapere che era finita qui?».

«Non so. È molto strano».

«Un lavoro fatto bene» commenta Piccionello.

«Che dici, Peppe?».

«Un lavoro di fino. Guarda, hanno staccato pure lo specchio del bagno».

Il portiere di notte torna seguito da due poliziotti.

Fatichiamo un po' nella denuncia, perché i due agenti non sanno una parola di inglese. Hanno l'aria di tutti i poliziotti del mondo: vediamo di sbrigare in fretta la faccenda perché il nostro turno sta finendo. Scrivi e trascrivi, firma qui e firma là, in un'oretta buona diamo il nostro personale contributo al trionfo della giustizia nel mondo. Scrupolosissimi – quarant'anni di comunismo hanno lasciato qualche buona abitudine, almeno nella pratiche sbirresche – i due poliziotti fotografano la stanza con i loro telefonini. E l'indagine è pronta per l'archiviazione.

«Questo non me la conta giusta» dice Piccionello.

«Chi?» chiede Suleima.

«L'amico della notte».

«Vuoi dire Psycho?» e indico verso la reception.

«Non lo so come si chiama, ma certo deve aver visto qualcosa» fa Peppe.

«Addormentato com'è?».

«Suleima, i portieri di notte sono sempre mezzi confidenti di caserma» fa Peppe.

«E tu che ne sai?» gli faccio.

«Me l'ha detto mio compare Angelino, è guardia giurata, sbirro serio».

Mister Psycho ci assegna un'altra stanza. Raccolgo le mie cose, le rimetto in borsa alla rinfusa e con Suleima traslochiamo in mansarda dove, per altro, c'è una gran vista sui tetti di Praga.

«Sono morta di stanchezza» sbadiglia Suleima.

«Anche io, dormiamo» dico, stringendola a me sotto le coperte.

Ma non riesco a prendere sonno.

«Che hai?» mi chiede, un occhio mezzo chiuso.

«C'entra l'esattore delle tasse».

«Quale?».

«L'uomo di Marks & Spencer. Mi aveva chiesto il nome dell'albergo. E stasera quando siamo rientrati era là fuori, sono sicuro».

«Saverio, puoi rimandare la tua spy story a domani mattina?».

«Siamo finiti in un intrigo internazionale».

«Sì, e tu sei Cary Grant. Spegni la luce» sussurra, mentre sento il suo respiro sul collo.

Fuori dalla finestra, nella notte, le guglie delle chiese puntano scure contro il cielo.

La sveglia.

Suleima nel sonno mormora una parola che non capisco, come pensiero o mistero.

Non è la sveglia, è il telefono.

«Chi è?» fa Suleima, girandosi dall'altro lato.

«Randone, il vicequestore».

«E tu fallo contento, così smette di chiamare». Suleima infila la testa sotto il cuscino.

Abbasso la suoneria del telefono. Tanto so cosa vuole Randone: è convinto che posso raccomandare sua moglie per farla trasferire dalla prefettura di Enna a Palermo. Non c'è verso di fargli capire che nella mia qualità di licenziato dal Viminale, non conto più niente, anzi meno di niente: sono nessuno mischiato con niente.

Le otto. Bisognerebbe promulgare un decreto legge per vietare le telefonate prima delle otto del mattino. Per un fatto di ordine pubblico.

Messaggio. Ancora Randone.

«Che ci fai a Praga?».

«E tu che ne sai?».

«Io sono la polizia».

«Dammi dieci minuti e ti richiamo».

Mi vesto e scendo giù nella sala breakfast. Sono piacevolmente stupito dall'efficienza del coordinamento interstatale tra le forze dell'ordine.

«Allora Randone, avete già scoperto chi è stato?» esordisco al telefono.

«Ma di che parli, Saverio?».

«Di quello che è successo nella mia camera ieri sera».

«Saverio, che è successo?».

«Una specie di furto, ma non manca niente».

«Saverio, io ti stimo molto e ti voglio bene. Ma perché l'Interpol dovrebbe occuparsi con grande urgenza di 'sta minchiata? Chi ti credi di essere, Donald Trump?».

«Allora come fai a sapere che sono a Praga?».

«Per una lunga storia che non ti riguarda, abbiamo fatto qualche controllo sul volo da Trapani a Praga di ieri. E guarda un po' chi trovo nella lista dei passeggeri? Lamanna Saverio».

«Quindi mi chiami alle otto solo per affetto?».

«No, anche per un'altra cosa. Risulta che eri seduto al posto 11C, giusto?».

«E chi se lo ricorda, Randone».

«Ma secondo me ricordi bene chi c'era al posto 11B, accanto a te».

«Sì, una ragazza».

«Non è una ragazza, Saverio. Una strafica direi, a vedere le sue foto».

«Sì, carina. Si chiama Larisa» minimizzo.

«Si chiama Larisa. Ma anche Irina, Jessica, Vanessa o Justine, a seconda dei paesi e dei letti che frequenta».

«L'avevo sospettato».

«Non è come pensi. Questa è una gran furbona, Saverio, che si muove ad altissimi livelli, molto al di sopra di te e di me».

«Randone, se non fa ciò che penso io, allora che fa?».

«Informazioni».

«Giornalista?».

«Saverio, parlo di informazioni serie, mica le stronzate pubblicate sui giornali che nessuno legge. Informazioni industriali, segreti militari, notizie finanziarie, cose che non si trovano su Facebook, insomma».

177

«Minchia».

«Be', per farla breve. Questa qui era stata segnalata alla polizia ceca, ma all'arrivo a Praga è scomparsa nel nulla. Tu hai notato qualcosa?».

«Oltre al fatto che era carina?».

«Sì, Saverio, oltre al fatto che era una gran gnocca, hai notato altro?».

«Mi sembra di aver visto due tizi che la seguivano, all'uscita dell'aeroporto. Non so chi fossero».

«Infatti, è la stessa indicazione che viene dai colleghi di Praga. È salita in macchina con loro, ma li hanno persi di vista».

«E per chi lavora?».

«Per chi paga. Servizi segreti, industrie, eserciti, trafficanti. Io non so molto, l'inchiesta è della procura di Lanusei. È in Sardegna».

«Lo so dov'è Lanusei».

«Io fino a ieri nemmeno sapevo che esistesse».

«Perché non viaggi e non sai niente del mondo».

«Io al massimo arrivo ad Enna, anzi ci arriva ogni giorno mia moglie».

«Non ricominciamo, Randone. Te l'ho già spiegato che non posso fare niente. Ci sentiamo presto. Se so qualcosa ti chiamo».

Chiudo la telefonata. Mi fornisco di pane, burro, marmellata e caffè americano.

Chiamo il numero di Larisa. Sento un po' di pasticci sulla linea, poi risponde una voce automatica in inglese che mi spiega per filo e per segno che gli uffici della Plusbio sono aperti dal lunedì al venerdì dalle ore nove in the morning alle ore cinque in the afternoon, thanks for your call.

Mi collego al wi-fi dell'albergo, cerco su Google che sa sempre tutto e mi spunta l'elegantissimo sito in inglese, francese e russo della Plusbio, con sede a Londra, filiali a Parigi e Mosca, credo di capire che fa incomprensibili cose di biochimica e bioingegneria, ma le mie competenze scientifiche si fermano al primo principio della termodinamica. Un interessante blog complottista indica la Plusbio come responsabile di tutte le atrocità commesse dai tempi di Abramo, e rimanda a un sito credo russo o ucraino.

Provo a scrivere su Google Plusbio e Lanusei, non viene fuori niente.

Mi faccio portare un'altra tazza di caffè americano. Ho l'impressione che la cameriera mi guardi strano: si allontana dal tavolo, si ferma a parlare con qualcuno dietro a una colonna della sala colazione.

Allungo la testa e ritrovo il timidone dell'Equitalia boema. Infatti, appena si accorge che l'ho scovato, prende di corsa le scale per andare via. Mi alzo di botto, il caffè si spande sulla tovaglia bianca, mi lancio alla rincorsa. Salto gli scalini due alla volta, imbocco l'uscita, travolgo tre giapponesi con mascherina sulla bocca, lo seguo per un vicolo, sbuca in una piazza, si infila a destra, meno male che ho smesso di fumare così ho fiato, ma quello va veloce, mi scompare dietro un tram rosso e bianco, e finisco in mezzo a più di cinquanta pensionati tedeschi che, non si sa perché, ridono e mi danno pacche sulle spalle.

Cerco di ritrovare il respiro, mi piego dalla stanchezza e scopro che ai piedi porto le ciabattine bianche da bagno fornite dall'hotel. Ecco perché tutta l'Inps di Germania ride di me. Torno in fretta verso l'hotel, evitando i luoghi troppo affollati.

Nella hall mi viene incontro Piccionello.

«Ma dove sei andato conciato così?» fa Peppe.

«Allora non ti sei visto allo specchio» gli dico.

Ha ripreso la sua tenuta solita, mutande, infradito, maglietta con la scritta «Sicily, l'isola che non ti isola».

«Qui dentro fa troppo caldo» spiega Peppe. «Ma tu che hai fatto? Ti hanno visto scappare via di corsa in ciabatte».

«Vado a mettermi le scarpe e ci vediamo qui al bar. Ti spiego tutto, anche se non ci ho capito niente».

Suleima sguscia via da sotto le coperte, mi abbraccia, mi annusa. Mi osserva con sospetto.

«Sei andato a fare jogging? Ti prego Saverio, almeno tu non darmi questa delusione».

«In ciabatte?» mi indico i piedi.

«Hai ragione. Ma hai l'aria di uno che ha fatto una corsa».

«Ora ti racconto. Ho bisogno di una doccia».

Sotto il getto d'acqua le riassumo più o meno quanto è successo. Sento la sua risata, quando si arriva al punto in cui mi scopro con le ciabatte di spugna in piazza Republiky. Quando ride così mi piace assai, che posso farci.

«È tua?» mi chiede.

«Cosa?».

«Nella tua giacca».

Esco dal bagno con l'accappatoio addosso.

«Suleima, di che parli?».

Mi mostra una chiavetta Usb tempestata di smeraldini rosa, puro stile Swarovski.

«Non mi sembra il tuo stile».

«Preferisco il fucsia, infatti. Dov'era?».

«È caduta dal taschino della tua giacca».

«È la prima volta che la vedo. Vestiti che Piccionello ci aspetta giù. C'è bisogno di un brainstorming».

«Mi desideri solo quando hai bisogno del mio cervello, non te ne frega niente del mio corpo» e dischiude un po' la mia camicia bianca che indossa e che la scopre al punto giusto.

Il resto è conseguente.

«Siamo dentro a una spy story».

«Ed è una cosa buona, Saverio?» chiede Peppe, davanti alla sua tazza di caffè lungo.

«Peppe, ascolta e non dire fesserie. Ma come fai a bere questa brodaglia?».

«Basta non sapere che è caffè».

«Partiamo dall'inizio. L'omino delle tasse ci controlla. Chi è? Perché lo fa?».

«Perché?» chiede Suleima.

«Non lo so. Sono sicuro però che è complice di chi ha organizzato il finto furto in camera. Lui ci seguiva e controllava il nostro rientro in albergo. Resta da capire: cosa cercano?».

La cameriera si avvicina. Resto in silenzio, ormai non mi fido più di nessuno in questo mondo di ladri. Ordiniamo cappuccino, espresso e un impronunciabile trdelnik.

Aspetto che la cameriera si allontani dal tavolo.

«All'inizio pensavo che cercassero qualcosa nella valigia scambiata».

«Non è così?» fa Peppe.

«No, secondo me cercavano questa. E non potevano trovarla perché era nella mia giacca». Poso la chiavetta rosa smeraldata sul tavolo.

«Cos'è?» chiede Piccionello.

«Una chiavetta Usb».

«Adesso ho capito tutto» annuisce Piccionello.

«Suleima, ti prego, parla tu con l'uomo di Neanderthal».

«Una chiavetta Usb, Peppe, è una memoria portatile. Ci puoi mettere foto, video, documenti. Basta che la colleghi a un computer e vedi cosa c'è dentro» spiega Suleima.

«E perche non lo facciamo?» dice Peppe. «Sennò parliamo sullo scruscio del carretto, cioè sul niente».

«Peppe ha ragione. Guardiamo cosa c'è dentro» fa Suleima.

La cameriera torna con le ordinazioni. Stringo gli occhi e bevo il caffè.

«Com'è?» mi chiede Peppe.

«Meglio del caffè del bar di tuo cugino a Màkari».

«Impossibile».

E infatti è vero, non ne esistono buoni come il caffè di Màkari. In un angolo c'è il computer dell'albergo a disposizione degli ospiti. Ci avviciniamo, inserisco la chiavetta, attendo che si carichi.

«Può scoppiare?» chiede Peppe.

«Sì, stai attento, indossa subito la maschera antigas» rispondo.

La risata di Suleima fa incazzare Piccionello.

«Siete due scimuniti».

«Dai, Peppe, non ti arrabbiare. Lo sappiamo che non sei homus tecnologicus. Ma hai molte altre qualità» dice Suleima, le labbra dipinte di schiuma di cappuccino.

«Ecco» dico.

Si apre un documento excel che allinea una serie di numeri. Migliaia di numeri.

«Ora è tutto chiaro» dice Peppe alle mie spalle.

«Sembrano codici» dice Suleima.

«Probabilmente sì, ma è impossibile capire a cosa si riferiscono».

«Saverio, ma questa cosa qui, com'è finita nella tua giacca?» chiede Peppe.

«Già, com'è finita nella tua giacca?» ripete Suleima.

Li guardo perplesso. Ho un sospetto, ma è meglio tenerlo per me.

«Secondo me è stata la bonazza che ti ha abbracciato all'aeroporto» fa Peppe.

Il mio sguardo di rimprovero viene colto da Suleima.

«Chi è la bonazza?».

«A parte che non era bonazza e non mi ha abbracciato, ci siamo solo salutati».

«No, Saverio, era bonazza e ti ha abbracciato» si vendica Piccionello.

«Ma insomma, chi è la bonazza che ti ha abbracciato?» insiste Suleima, intravedo nei suoi occhi dei lampi minacciosi, mentre con la lingua si ripulisce i baffi di latte.

«Posso spiegare» dico.

«Sì, provaci» fa Suleima.

«Per puro caso, sull'aereo ero seduto accanto a una ragazza. Per puro caso, ci siamo messi a chiacchierare».

«E per puro caso ti ha abbracciato».

«Aspetta, Suleima, ti ricordi stamattina quando ha chiamato il vicequestore Randone? Mi ha detto che questa ragazza...».

«Bonazza» sottolinea Peppe.

«Questa ragazza è una trafficante internazionale di informazioni. Avete presente? Spionaggio industriale, cose così. All'arrivo a Praga, c'erano due che la aspettavano. Forse ha temuto qualcosa, forse aveva paura di essere arrestata, così probabilmente mi ha infilato la chiavetta nella giacca, per liberarsene».

«E come pensava di riprendersela, visto che non sapeva nemmeno chi eri? Non vi eravate conosciuti per puro caso?» chiede Suleima.

«Non lo so» scuoto la testa.

«Te lo spiego io, allora» dice Suleima, la sua voce si fa un po' ostile.

«Spiegaglielo, Suleima» incalza Peppe.

«Non conosco la bonazza, ma conosco te» fa Suleima. «E sono sicuro che per prima cosa le hai dato il tuo numero di telefono. Perché fai sempre così».

«È sicuro» fa Peppe.

«Minchia, Peppe, dagli amici mi guardi Iddio».

«La verità ti fa male, lo sai».

«Va bene, Caterino Caselli, risparmiami la morale. Non ricordo bene, forse è andata come dici tu, Suleima. Ma c'era bisogno di fare un gran casino se aveva il mio numero di telefono?».

«In effetti no, perché se si ripresentava, tu alla bonazza davi chiavetta, giacca e pantaloni pur di rimanere in mutande» fa Suleima.

«E allora cosa è successo?» tento di aggirare la stoccata, facendo leva sul suo orgoglio intellettuale.

«Vuol dire che la bonazza non può più ripresentarsi. Hai detto che temeva qualcuno, forse è stata arrestata».

«No, perché Randone dice che la polizia praghese l'ha persa di vista fuori dall'aeroporto».

«Magari è stata presa in ostaggio. Magari ha raccontato qualcosa, ma chi l'ha catturata non sapeva nemmeno come ti chiamavi e quindi la pantomima del controllo sugli acquisti, il nome dell'albergo e tutto il resto per venire a cercare nella nostra stanza» fa Suleima.

«Ma chi è stato?» chiede Piccionello.

«Non lo sappiamo, ma se è un intrigo, allora ci saranno amici e nemici, alleati e avversari. E tutti cercano la stessa cosa, questa serie di numeri che per noi non significa nulla, ma che per loro deve avere molto valore».

Ha cervello fino, la ragazza. Anche per questo mi piace.

«Il discorso fila» dico.

«Il discorso fila, lo so. Sei tu che fili male» dice Suleima.

«Però, non si capisce perché questa tizia dalla Sardegna passa in Sicilia per andare a Praga» rifletto a voce alta.

«Avrà fatto il giro lungo per far perdere le sue tracce» spiega Suleima. «O magari solo per incontrare uno abbastanza scemo come te».

«Era bonazza, ma sei meglio tu» dice Piccionello.

«Ho sbagliato tutto, Peppe» risponde Suleima. «Dovevo scegliere te e non questo qui».

Mi guarda e un po' le scappa da sorridere, ma so che non vuole farlo vedere.

«Pace e bene a tutti».

È arrivato Santo il Monaco. Ci mancava solo il Vaticano, ora siamo in un romanzo di Dan Brown.

Se io fossi narratore di razza, di quelli con una scrittura potente, come si legge nei risvolti di copertina dei libri di successo, qui aprirei una digressione molto introspettiva, analitica e profonda per provare a decifrare quali sotterranei sentimenti possano legare un materialista vestito da ranger texano con un mistico vestito da frate francescano, in giro per la città magica.

Peraltro, farei contento anche il mio amico editor Mattia Carratello che aveva affettuosamente stroncato il mio primo romanzo *Il lato fragile* spiegando che i dialoghi vanno pure bene, ma che stavo esagerando e che ogni tanto bisogna dare respiro al lettore con alcuni capitoli di più distesa e piana scrittura. Per suo gran dispetto, quel libro arrivò alla posizione ottantatré della classifica (ma forse, se lo avessi ascoltato, sarei salito ancora più in alto).

Certo, tutto sarebbe più facile se mi chiamassi Fëdor, se fossi nato in Russia e sapessi scrivere un romanzo di mille pagine, per giunta in cirillico. Allora sì che, accontentando finalmente Carratello, aprirei un capitolo di almeno novantasettemila battute sull'incontro metafisico tra Aleksej Karamazov e lo starec Zosima, denso di dubbi e certezze, interrogativi e risposte. Resta il problema che Peppe Piccionello non è un fratello Karamazov e Santo il Monaco non credo somigli molto allo starec Zosima.

«Dove andate voi due?» chiedo a Peppe.

«Turismo».

«Sordidi appuntamenti mercenari, vuoi dire».

Santo il Monaco rabbrividisce, alza gli occhi al cielo, mormora un salmo affinché Mefistofele abbandoni il mio corpo.

«Turismo religioso» dice Peppe.

«Sì, vabbè. E Suleima è madre Teresa di Calcutta».

«Ma che te ne importa dove vanno?» mi rimprovera madre Teresa, alias Suleima.

Però quando Piccionello mi chiede di parlare a quattr'occhi, vengo invaso dall'avvilimento: in questo momento vorrei essere un vero scrittore, dall'animo tormentato, sospeso sulle immense ed eterne domande dell'umanità per restituire la meraviglia e lo sgomento che mi pervadono di fronte alla spiegazione di Peppe.

Vorrei essere, non dico Dostoevskij, ma almeno Susanna Tamaro o Elena Ferrante per avere lo spirito di finezza necessario a penetrare il mistero di un'anima. La prenderei alla lontana, dalla fragilità dell'esistenza, dall'abisso di paura che penetra ogni vita di questo nostro pianeta, fosse pure un poveraccio analfabeta, precario e senza contratto collettivo di lavoro come il pastore errante dell'Asia, per tentare di spiegare come e perché il pragmatico Piccionello sia riconoscente a Santo il Monaco il quale si incarica, sua sponte, di recitare novene, celebrare messe in suffragio e onorare le anime dei defunti di tutti i Piccionello&Co della terra, con tale fervore che lo stesso Peppe, sia pur miscredente, è convinto che ciò sia utile a spingere i morti suoi a risalire con un colpo di reni molte balze del purgatorio per arrivare più in fretta possibile a Colui che move il sole e l'altre stelle.

Ma non sono capace, e chiedo perdono. Perciò, nel vederli uscire assieme – dopo la benedizione impartita da Santo il Monaco che dovrebbe redimermi – invece di riflettere sugli imperscrutabili disegni della provvidenza divina, piuttosto mi scappa da ridere, come immagino faranno oggi molti praghesi incontrando sul tram Davy Crockett e Fra Tac.

«Sono simpatici assieme. E tu non ridere» mi dice Suleima.

«Il problema lo sai qual è?».

«Sentiamo l'ultima perla di saggezza».

«Questi paesani sono fatti così. Magari si incontrano ogni giorno in piazza e manco si salutano, ma quando si vedono fuori dai confini comunali scatta il loro istinto tribale».

«Bravo, ancora una volta hai detto la tua»

«Voglio scriverci un libro: *Totem e tabù dei fuorisede*. Secondo me Bollati Boringhieri lo pubblica».

Sul Ponte Carlo, Suleima si aggrappa al mio braccio.

«Allora, James Bond, perché sei così silenzioso?».

«Penso».

«Alla bonazza?».

«Anche».

«E lo dici così? Io mi fidavo di te, credevo a tutte le tue bugie».

«È un imbroglio troppo grosso, e noi ci siamo finiti in mezzo».

«Saverio, io la soluzione ce l'ho».

«Sentiamo».

«Lascia la chiavetta sul letto della nostra camera, in bella vista. Secondo me quelli tornano, la trovano e tutto finisce così».

«Infatti. È quello che ho fatto».

«Lo hai fatto?».

Mi sembra di cogliere un moto di delusione.

Suleima si stacca, va verso il ponte, si affaccia sulla Moldava.

Mi avvicino, le metto un braccio sulle spalle.

«Allora, Mata Hari, che succede?».

«Niente».

«Ho fatto quello che volevi tu».

«Io ho detto soltanto che poteva essere una soluzione».

«E infatti è una soluzione».

«Saverio, che delusione».

«Ma perché?».

«Pensavo che ti piaceva andare a fondo, che non avresti mollato mai. Io credevo in te. Perché ridi?».

«La chiavetta l'ho lasciata sul letto. Ma prima l'ho cancellata. E i codici li ho mandati alla mia mail».

Mi bacia come sa fare lei. E sotto la statua di San Giovanni Nepomuceno dobbiamo sembrare la pagina di un calendario se un gruppo di giapponesi si ferma a scattare foto col telefonino, con tanto di applausi sul gran finale.

«Riesci a fare sempre la cosa giusta» mi sussurra nell'orecchio.

Il mio io, inclusivo di ego e superego, si gonfia fluttuando sulla Moldava, in alto verso il Castello, sopra le guglie che tagliano di nero il cielo terso e freddo di Praga.

«Torna sulla terra. Scherzavo» dice col sorriso negli occhi.

Ma io voglio credere che è vero.

A me Stalin fa quest'effetto. Devono essere i baffoni, non so. Se poi i mustacchi del compagno Giuseppe spuntano accanto alla barba di Carletto Marx, le idee rampollano a cascata una dall'altra.

Fatto sta che entrati nel Museum of Communism di Nové Město, nel gran bazar di mezzibusti staliniani, colbacchi dell'Armata Rossa, maschere antigas, manifesti di operai stakanovisti, camere delle torture, apparecchiature da spionaggio controrivoluzionario e fumetti del realismo socialista, mi ricordo che a Mosca c'è il mio amico Mattia Bagnoli, da pochi mesi capo della redazione dell'Ansa.

Dopo aver ripassato per punti salienti la primavera di Praga, giusto per ribadire l'inevitabile tramonto del comunismo, andiamo a mangiare chicken wings con salsa BBQ nel McDonald's che la vendetta della Storia ha piazzato davanti al museo del comunismo. E mentre rifletto che l'historia si può veramente definire una guerra illustre contro il tempo perché il Crispy McBacon ha sterminato i comunisti che a loro volta avevano sterminato i Romanov, chiamo Mattia.

«Da?».

«Tovarish Bagnoli, sono Lamanna».

«Ehi, vecchio, come ti va?».

«Bene. Ho letto il tuo libro, mi è piaciuto».

«Io il tuo non l'ho ancora letto, Saverio, ma l'ho scaricato sul Kindle. Sai, qui a Mosca non è facile trovare libri italiani».

«Nemmeno in Italia è facile trovare libri italiani. Mattia, posso chiederti un favore?».

«Dimmi».

«Puoi rintracciare qualche informazione su una società mezza russa e mezza inglese? Si chiama Plusbio. Si occupa di biochimica, cose così».

«Cosa cerchi?».

«Se hanno affari in Italia, cosa si dice di loro. Ho visto qualche sito dei soliti simpatici mattacchioni che mettono la Plusbio accanto a Trilateral, Bildberg, massoneria, Topolino e Paperino. Ma le fonti sono russe.

E io non leggo il cirillico, stento ancora a imparare lo spagnolo».

«Sbagli, vecchio mio, il cirillico è fondamentale. Appena vince Putin te ne accorgerai».

«Non vedo l'ora. Mi piace tutto di Putin, soprattutto il sorriso. Si vede che è una personcina di buon cuore».

«Dammi qualche ora. Ti scrivo una mail con quello che trovo».

«Spassiba, Mattia».

Suleima mi interroga con gli occhi.

«È un amico, un bravo giornalista e ha scritto anche un bel romanzo. L'ho conosciuto a Roma. Quando mi hanno licenziato dal Viminale è stato l'unico che ha chiamato per avere una mia dichiarazione».

«E tu che hai dichiarato?».

«Niente. Ma almeno lui mi ha chiamato, ti pare poco?».

Le alette di pollo mi hanno aperto l'appetito.

«Gulash?» chiedo a Suleima.

Rotea gli occhi, muove le pupille verso destra.

«Suleima, ti senti male?».

Finalmente capisco. Mi sta indicando qualcosa. Giro lo sguardo senza farmi notare. Rieccolo: il Markus Wolf dei poveracci nascosto dietro una colonna all'ingresso del museo.

Mi alzo, faccio segno a Suleima di aspettarmi.

Quando siamo entrati nel museo dell'Ottobre rosso mi era sembrato che l'edificio avesse un'uscita sul retro, nella strada parallela. Mi confondo tra la gente, vado lesto lungo il muro, svolto l'angolo, accelero il passo, imbocco la prima traversa e poi mi infilo in un vicolo.

Troppo semplice. Solo nei film succedono queste cose. Il vicolo è cieco, finisce contro un muro. Vedo il cancello di un cantiere, entro dentro. Un operaio col casco giallo mi grida contro, fa segno di allontanarmi. Chiudo le dita, saluto a pugno chiuso.

«Museum of Communism?» chiedo.

Non saprò mai se l'operaio è comunista in quanto operaio o anticomunista in quanto praghese, in ogni caso si muove a pietà e mi accompagna verso l'ingresso di alcune cantine, mi dice di andare avanti, risalire la scaletta e in qualche modo arriverò.

«Komunismus, komunismus» ripete.

Incoraggiato dal proletariato, mi addentro nella penombra del condominio borghese, sperando che presto torni a splendere il sol dell'avvenire. E infatti dopo una ventina di metri, risalgo nel cortile del museo dalla parte opposta.

E chi c'è ancora appoggiato alla colonna che offre le sue spallucce indifese? La mia spia venuta dal freddo.

Lo afferro da dietro mentre ancora si sta chiedendo che fine ho fatto e perché ho lasciato la mia ragazza tutta sola.

La vecchia scuola di lotta urbana panormita nel campetto di calcio dietro la chiesa, tutta centrata sulla regola che vince chi colpisce per primo, prevale sull'addestramento dei campi paramilitari cecoslovacchi. Appena ricevuti due schiaffi ben tirati, uno dei quali piazzato sulla fronte che fa sempre il suo effettaccio, l'abilissimo Philby al gulash reagisce con maschia e virile fierezza: si mette a piangere.

«Non fare così. Non c'è gusto» gli dico.

Ma deve essere un momento difficile della sua vita perché non smette di frignare, si lascia scivolare contro il muro e mi tocca consolarlo sotto gli occhi stupiti dei turisti, convinti che io sia il cattivo e lui il buono.

E così ci trova Suleima.

«Che gli hai fatto?».

«Non lo so, mi è entrato in crisi. Forse ripensa alla caduta del muro di Berlino».

Il nostro caro amico ormai non ha più doveri né obblighi, come sempre accade quando una spia si mette a piangere davanti alla sua preda: è diventato un uomo quasi libero. Libero e con grande appetito, perché manda giù due piatti di gulash alla trattoria Mlejnice che lui stesso ci ha consigliato, rivelando competenza gastronomica superiore alla sua perizia pedinatoria.

L'interrogatorio procede disteso, non fosse per l'inglese zoppicante del nostro agente a Praga.

«Come hai detto che ti chiami?» gli chiedo.

«Bohdan».

«Bel nome» dice Suleima.

«Allora, Bohdan, perché ci segui da due giorni?».

«Ještĕ pivo?».

«Ragazzo dell'est, non ti capisco».

«More beer?».

«Prima parli, poi bevi» dice Suleima.

Io sono il poliziotto buono, lei è quello cattivo.

«Non so. Non conosco. Io ero custode di supermercato. Perso lavoro e accettato lavoro da amico».

Pure il disoccupato ceco mi tocca, quasi non bastassero un milione e trecentomila dei miei disoccupati siciliani.

«E per chi lavori?» insiste Suleima.

Ha una luce negli occhi che non avevo mai visto.

«Non so. Ještě pivo?».

«Allora non hai capito con chi stai parlando, ragazzo dell'Europa».

E qui dico ciò che un siciliano non dovrebbe mai dire.

«Palermo. Sicilia. Mafia. Do you understand?».

«Tu Palermo?» chiede Bohdan.

«Yes, pane e panelle, cannoli, Totò Riina. Do you know?».

Mi sembra che cominci a capire.

«Io no cattivo. Tu buono uomo. Io buono uomo».

«Sì, siamo tutti buoni. Buonissimi. Per chi lavori? Un nome. E poi bevi la tua birra» insiste Suleima. Mi fa quasi paura.

Deglutisce a secco, il bravo Bohdan. Pur di bere in fretta l'amaro calice, farfuglia parole che non capisco.

«Cosa dici? Scrivilo» e gli metto davanti una penna.

Scarabocchia sul tovagliolo di carta, la mano gli trema. Non immaginavo che Palermo avesse tali effetti collaterali.

«Cos'è?» gli faccio.

«Address. Office».

«Deve essere l'indirizzo dell'ufficio dove gli hanno detto di pedinarci» spiega Suleima.

«Avevo capito» dico.

«Ti sto aiutando» fa Suleima.

«Lo so, ma parlo inglese».

«Lo parli, ma non lo sai».

Bohdan ci guarda spaventato, pensa che stiamo decidendo come eliminarlo.

«Ještě pivo?».

«Paghiamogli 'sta birra, Suleima, non lo sopporto più».

«Io vado a fermare un taxi, e andiamo a vedere cosa c'è a questo indirizzo».

«Tu buono. Io buono» dice Bohdan, mentre ci alziamo dal tavolo.

«Sei fortunato perché siamo veramente buoni» dico.

«Tutto Palermo buoni» ripete Bohdan.

«Ecco, ora stai esagerando».

«Italia. Viva Italia. Totti. Del Piero. Italia».

Il tassista praghese vuole farci felici: ogni tanto gli viene in mente una parola o un nome e ce ne mette subito a parte.

«Roma. Juventus. Pizza».

«Suleima, puoi spiegare a mister Treccani di fare silenzio? Voglio chiamare Randone».

«Berlusconi. Totti. Spaghetti. Maccheroni».

Chiamo. Squilla.

«Ehi, Lamanna. Ancora a Praga?».

«Sì, Randone. Forse ho trovato quello che cerchi».

«E cosa cerco, secondo te?».

«Una chiavetta? Codici alfanumerici?».

«Come parli difficile, Lamanna».

«Randone, ti conosco. Quando fai così stai prendendo tempo. Allora?».

«Codici. Può essere. Tu che ne sai?».

«Abbastanza. Ma prima dimmi dell'indagine di Lanusei».

«Cappuccino. Buffon. Juventus» grida il tassista.

«So molto poco, Lamanna. Ma chi urla?».

«Il mio amico Milan Kundera. Raccontami il poco che sai e io ti aiuto a trovare i codici».

«Lamanna, tu mi dai, io ti do. Siamo al mercato dei cammelli?».

«Dai, Randone, che poi parlo con un mio amico del Viminale per la questione di tua moglie».

«Veramente?».

«Ti ho mai mentito?».

«Sempre. Comunque, ecco cosa so: qualche tempo fa in Sardegna avevano fatto una ricerca su alcuni paesi dove vivono moltissimi vecchietti centenari».

«Ricordo, la notizia era uscita sui giornali. Prelevavano il Dna degli abitanti per scoprire il segreto di lunga vita».

«Non è proprio così, mi sono fatto una cultura. A un certo punto però la ricerca resta senza soldi, per problemi di fondi pubblici, le solite cose, sai come va».

«Anche io sono rimasto senza fondi. So come va».

«Ma i soldi spuntano perché ce li mette un riccone russo».

«E diventa il padrone».

«Bravo, Lamanna. Il riccone ha il suo scopo, perché vuole sfruttare commercialmente la ricerca che invece era nata per puri fini scientifici».

«Maledetti capitalisti».

«Sei comunista? Non sembra da come ti vesti. Vabbè, a un certo punto dai laboratori in Sardegna spariscono tutti i risultati del Dna. Probabilmente la società pensa di usarli per fare soldi. Ma non ha preso i codici che associano il Dna alle biografie dei donatori e così...».

«E così mandano la strafica».

«Ancora?» mi fulmina Suleima.

«E così mandano la loro agente a rubarli, giusto?».

«Più o meno».

«Perché più o meno?».

«Perché la strafica, come dici tu, non l'hanno mandata loro».

«Ma io so chi l'ha mandata».

«Chi?».

«Ti richiamo dopo, sono arrivato».

L'auto si ferma davanti a un edificio bianco, dal finestrino intravedo una scritta sulla porta a vetri: Longlife&qualcos'altro che non leggo bene.

«Milan. Mafia. Italia. Viva Italia» grida il tassista. Se va avanti così, domani lo iscrivo alla società Dante Alighieri.

In hotel chiedo notizie di Peppe Piccionello. Non ne sanno niente. È scomparso da stamattina e sono già le nove di sera. Devo preoccuparmi? Avrà incontrato una tribù apache? Sarà stato arruolato nel circo a tre piste assieme a Santo il Monaco, venghino signori venghino?

Ho altri pensieri. Piccionello sa cavarsela da solo. Almeno spero.

La chiavetta smeraldo è scomparsa. Regolare. Questa volta però non hanno fatto a pezzi la camera. Con le buone maniere si ottiene tutto, lo diceva sempre mia mamma.

Telefono.

«Ciao papà».

«Ciao Saverio, come va a Sarajevo?».

«Sono a Praga, papà».

«Hai ragione, scusami. Sto leggendo questo libro di Gigi Riva sul calcio a Sarajevo, lo conosci?».

«Sì».

«È buono».

«Sì, papà, molto buono».

«Peccato».

«Peccato cosa, papà?».

«Peccato che tu non ne capisci niente di calcio, sennò potevi scriverlo tu».

«Ma l'ha scritto lui».

«Questo Gigi Riva è il calciatore?».

«No, è un giornalista».

«Nemmeno parenti?».

«Non credo».

«Ho capito. Divertiti a Sarajevo, e salutami Piccionello».

«Sì, papà. Saluti da Sarajevo».

Suleima legge la mail che ha mandato Bagnoli.

«Allora, che dice?».

«Fammi finire. Mattia ha fatto un gran lavoro».

Seduta sul letto, le gambe nude, la mia camicia addosso aperta sul davanti: non riesco a capire a chi assomiglia.

«Perché mi guardi così?» dice, alzando gli occhi.

«Mi ricordi una ragazza che ho conosciuto a Màkari qualche mese fa».

«Ascoltami prima di farti venire delle idee».

«Milano ti fa male. Sei diventata rigorosa, una brutta malattia che invecchia la pelle».

«Cretino. Mattia scrive che la Plusbio, la società per la quale lavorava la tua amica...».

«Non è amica mia».

«Ma volevi che lo diventasse, stronzo. Insomma, la Plusbio viene fondata nel 2005 da due fratelli russi, gli oligarchi Fëdor e Ivan Morodosky. Qualche anno fa cominciano ad espandere le loro attività da Mosca in tutta Europa, compresa l'Italia».

«E sbarcano in Sardegna, giusto?».

«Giusto, finanziano la ricerca. Ma a un certo punto i due litigano, anche per questioni politiche. Fëdor diventa amico di Putin, Ivan diventa nemico e scappa a Londra. La Plusbio finisce nelle mani di Ivan».

«Quello buono».

«L'aggettivo buono è iperbolico. Ivan piazza la Plusbio in Gran Bretagna. Suo fratello Fëdor fonda un'altra società a Mosca, con uffici in mezza Europa».

«Scommetto che la società di Fëdor, il cattivone, si chiama Longlife&Bio».

«Bravo Saverio, vedi che quando studi poi i risultati si notano?».

«E la Longlife&Bio ha un ufficio a Praga, proprio dove ci ha indicato il nostro piccolo spione disoccupato detto anche ještě pivo».

«Ma c'è una cosa che non sai».

«Non essere crudele. Dimmelo».

«Fëdor Morodosky».

«Il fratello cattivone».

«Fëdor Morodosky qualche tempo fa, in un convegno medico organizzato a Vilnius dalla Longlife& Bio, ha annunciato testualmente: siamo ormai vicinissimi alla scoperta che cambierà il mondo e la nostra esistenza, il segreto della giovinezza, l'elisir di lunga vita».

«Boom».

«Già».

«Però Caino non aveva fatto i conti con Abele».

«Ti vedo biblico».

«Facciamo un'ipotesi. Ivan, che aveva ancora accesso ai laboratori in Sardegna, ha mandato la spiona dagli occhi blu a fregare i codici di interpretazione. Senza i codici, i Dna che si è accaparrato Fëdor valgono quanto le pagine gialle di Catanzaro».

«Perché Catanzaro?».

«Mi è venuta così».

E allo stesso modo mi viene voglia di spingere Suleima tra i cuscini. Mi abbraccia. Le sue mani così, all'improvviso.

Buenas noches.
Chi è?

Buenas noches.

«Chi è?» chiede Suleima.

«Non lo so» dico, nel pieno del sonno.

Es una hermosa noche.

«Te la sei portata?» e Suleima mette la testa sotto il cuscino.

«Non l'ho portata. C'è venuta lei».

«O la spegni o la ammazzo».

Negra estaba la noche y yo me deslizaba por la calle con la estrella robada en el bolsillo.

«Falla smettere».

Mi alzo, sbatto un piede contro uno spigolo. Soffoco il dolore. La camera è al buio. È notte fonda, saranno almeno le due o le tre.

Sento la voce di Teresita da sotto il letto. Il telefono deve essere caduto laggiù. Spingo il braccio, lo schermo brilla a intermittenza.

El viento de la noche gira en el cielo y canta.

L'acchiappo, la strozzo, la spengo. La sua voce si ammutolisce a metà di un verso di Neruda o di Lorca, non me ne frega niente.

Lampeggiano dieci messaggi.

«Saverio ho un problema».

«Sono Peppe».

«Sono Santo».

«Vieni al Castello».

«Aiuto».

«Fai presto».

«Santo sono».

«Santo e Peppe».

«Ci hanno presi».

«Vieni subito. Castello vicino a sbdssszzf».

L'ultimo è di due ore fa.

«Suleima, svegliati».

«Saverio, fammi dormire».

«Suleima, è importante».

«Dillo alla tua fidanzata spagnola».

«Piccionello è in pericolo».

Si solleva dal letto con gli occhi spalancati.

«È colpa nostra. L'abbiamo lasciato solo».

Non è magica e nemmeno triste. È terrificante. Dicono che il gotico è fatto così. Mentre mi sudano i capelli e provo a chiamare il telefono di Santo dal quale mi sono stati inviati i messaggi – niente da fare, è spento – dai finestrini del taxi si affacciano nasi adunchi di santi morti, re matti e alchimisti, patrioti impalati, vescovi fatti a pezzi, martiri dalle lingue mozzate.

Statue nere di notte e di catrame si sporgono sulle nostre teste, ghignano sulle nostre paure, sembra che ne godano perché sanno che la storia è fatta di sangue e lacrime, terrori e miserie. Se sei fortunato diventerai statua di bronzo o di marmo, ma nessuno conosce il terrore negli occhi, lo spavento nelle viscere, il dolore sotto la pelle e dentro il cuore.

Temo la vendetta della Longlife&Bio. Questa è gente spietata, abituata a organizzare pogrom.

Dicono che Praga è magica, ma ha ragione Piccionello: è una città che piange per quanto ha visto e forse vedrà. Viene da piangere anche a me: se ne accorge Suleima, posa una mano sulla mia.

«Lo troviamo» mi bisbiglia.

«Ma dove?».

«Al Castello. Andiamo all'ingresso».

Era tarda sera quando il signor K. arrivò. È notte quando il taxi si ferma davanti alla scalinata. L'autista ci fa capire che oltre non può andare, bisogna proseguire a piedi.

Risaliamo. Il sudore mi scorre lungo la schiena, il respiro si rompe. Alle nostre spalle intravedo la più bella vista di Praga, ma non c'è tempo né voglia per le foto dal panoramic viewpoint consigliato dalle migliori guide turistiche. La scala non finisce mai, si arrampica sempre più erta. Suleima è dieci metri avanti a me, con quelle gambe è facile conquistare il mondo. Alla sua età, poi.

Col fiatone, piegato in due dalla fatica, arrivo al cancello monumentale. Chiuso, naturalmente.

Provo a chiedere alla guardia d'onore nella garitta.

Niente, non risponde, non muove un muscolo.

Suleima prova con l'altro piantone. È più fortunata o, più semplicemente, è una donna: il milite accenna un piccolo gesto con la mano.

«Dobbiamo andare lì» fa Suleima, indicando un portoncino di legno.

L'ingresso del corpo di guardia. Bussiamo. Viene fuori un maresciallo con la divisa sbottonata. Si ricompone in fretta, rimettendo i bottoni d'oro nelle asole.

Suleima, che conosce l'inglese meglio di me – non ci vuole molto se sei figlia di un irlandese, mio padre è nato a Bagheria –, chiede se hanno notato qualcosa di sospetto, cerchiamo due persone, due amici, di cui non abbiamo più notizie, siamo angosciati per loro.

«Pichonelo?» chiede il maresciallo.

«Yes. Come fa a saperlo?».

Il maresciallo ci fa entrare. Una delle guardie nasconde nel cassetto un sandwich che sta mangiando davanti al computer. Avanziamo per un corridoio stretto, il maresciallo con i bottoni dorati apre la porta di una stanza: su una panchetta di legno, stretti come i fidanzatini di Peynet, Peppe Piccionello e Santo il Monaco.

«Sei arrivato, finalmente» esclama Peppe, ma lo dice con un tono abbattuto. Sembrano tristi pure le frange della sua giacca di renna. Santo il Monaco solleva la testa, poi mortificato torna a scorrere i grani del rosario fra le dita, invocando santi e madonne.

«Che cazzo ci fate qui?» chiedo.

«Posso spiegarti, Saverio» fa Peppe.

«Dio ha voluto così» dice Santo.

«Dio ha da fare cose più importanti che occuparsi di due cretini», mentre sento che la grande paura diventa grande incazzatura.

Il maresciallone non capisce una sola parola, ma tiene lo sguardo addosso a Suleima. Lei se ne accorge, mi strizza l'occhio.

«Can I talk to you, sir?» gli dice.

Sarà effetto del sir, sarà che la mia camicia ancora addosso a Suleima fa intravedere abbastanza roba, il maresciallo non si fa pregare. Annuisce, cede il passo da antico galantuomo boemo, la fa uscire dalla stanza verso il suo ufficio e mentre mi affaccio nel corridoio mi accorgo che se la studia ben bene da dietro.

Metto su la faccia della mia professoressa di matematica, perfino con tanto di mano al fianco, squadro severo Piccionello e Santo.

«Ma chi vi credete di essere, Zagor e Cico?».

«E chi sono?» chiede Santo.

«Lasciamo perdere, vi mancano proprio i fondamentali».

Mi stropiccio la faccia con le mani.

«Io non so chi è più pazzo di voi due» dico.

«Non offendere, Saverio» fa Peppe: ha ripreso vigore.

«Ma che c'entra San Vito?» chiedo.

So già che questa è una storia così inverosimile che nemmeno potrò usarla nel mio prossimo libro, minimo minimo i miei venticinque lettori mi tolgono l'amicizia su Facebook.

«C'entra, eccome» fa Peppe. «Santo, spiegalo tu».

«Vito nacque in Sicilia da padre pagano, era un fanciullo cristiano e seguendo la strada di nostro Signore operò molteplici miracoli, salvò dal demonio perfino il figlio dell'imperatore Diocleziano, il quale però ottenuta la grazia fece imprigionare, torturare e uccidere il giovinetto martire» comincia Santo, con voce ispirata.

«Peppe, possiamo spegnere Radio Maria? Chi se ne frega del fanciullo cristiano e martire. Io voglio sapere che c'entrate».

«No, Lamanna, lei non deve prendere in giro i santi» fa il Monaco, alzando il braccio come fra Cristoforo. Questo è veramente matto.

«Io tra poco i santi li tiro giù dal calendario e ve li tiro dietro uno a uno, fino al vostro decesso accertato».

«Vedi, Saverio, Santo ha una sorella» dice Peppe.

«Questo è un fatto veramente sorprendente».

«Aspetta, Saverio, fammi finire. La sorella di Santo ha una figlia purtroppo gravemente malata. Giusto?».

«Poverina, la picciridda. È malata grande» conferma Santo.

«Mi dispiace molto. E allora?».

«Saverio, se interrompi non la finiamo più».

«Tanto che fretta c'è? Avete anni di galera davanti a voi, fai pure con comodo».

«Insomma, Saverio, la nipote di Santo è malata. La mamma ogni giorno va alla chiesa di San Vito per chiedere un miracolo. Ma il miracolo, purtroppo, ancora non c'è stato».

«Bisogna avere fede e pazienza» dice Santo.

«Come vedi, Santo è una bravissima persona. Ed è anche un uomo di grande fede» continua Peppe. «E così, studiando la vita e le opere di San Vito ha scoperto che a Praga, dentro al Castello, c'è la Cattedrale di San Vito. E quindi ha deciso di venire fin qui a chiedere il miracolo per sua nipote. È tutto».

Li osservo entrambi: Peppe fissa la parete di fronte, il Monaco è ancora chino sul suo rosario.

«Scusa Zagor, scusa Cico. Voi volete farmi credere che siete venuti a pregare nella chiesa di San Vito e vi hanno arrestato?».

«Non è proprio così» dice Peppe.

«Non è proprio così» conferma Santo.

«E com'è?».

«Forse c'è stato un equivoco».

Si apre la porta. Suleima mi fa segno di uscire fuori dalla stanza.

«Che dice il maresciallone? Ti ha messo le mani addosso?» le chiedo.

«Macché, è una gran brava persona. Mi ha fatto vedere pure le foto di moglie e figli».

«Questi sono i peggiori. Perché li hanno arrestati?».

«Non sono arrestati. Il comandante si è convinto che sono due mattacchioni, e per questo ha aspettato prima di consegnarli alla polizia».

«Ma che hanno fatto?».

«Li hanno trovati a mezzanotte nascosti dentro il pulpito della cattedrale».

«E che ci facevano?».

«Non lo sa, perché non parla italiano».

«Digli che sono devoti di San Vito, vengono da San Vito e volevano pregare San Vito per impetrare il miracolo per una ragazza malata di San Vito».

«Ti prego, Saverio, inventane una meno strampalata. Non sta in piedi».

«Suleima, non è una mia invenzione. È così: hanno confessato».

«Ma sono pazzi?».

«Temo di sì».

«Pure Piccionello?».

«Lo sai com'è fatto: pur di aiutare un compaesano è capace di tutto».

«Vabbè, io torno dal comandante e provo a convincerlo».

«Però non esagerare, l'ho visto come ti guardava».

«Sei geloso, Saverio?».

«No, ma detesto la mercificazione del corpo femminile».

«Devi dire sempre minchiate?».

Torna verso l'ufficio del comandante che si affaccia sulla porta con due tazzine di caffè, una per sé e l'altra per l'avvenente ospite straniera.

Rientro nella prigione del popolo.

«Sacco e Vanzetti, forse Suleima riesce a farvi evitare i lavori forzati in un gulag».

«Meno male che c'è lei» dice Piccionello.

«Sì, ma prima voglio sapere la verità. Perché vi siete nascosti nella cattedrale? Non dite minchiate sennò vi faccio invecchiare allo Spielberg, come Silvio Pellico».

Piccionello e Santo si scambiano un'occhiata.

«Alla storia della preghiera notturna non ci crede manco "Famiglia Cristiana". Allora?» insisto.

«Parli tu o parlo io?» chiede Peppe al Monaco.

Santo con un cenno del capo cede la parola a Piccionello.

«Vedi, Saverio, dopo tanti anni il miracolo purtroppo

non si avverava. Santo pensa che il problema è che a San Vito, purtroppo, non c'è niente del vero San Vito».

«Che significa?» chiedo.

«Significa che a San Vito Lo Capo non ci sono reliquie del santo, c'è solo una statua. Invece le reliquie sono a Praga».

«A Praga?».

«Dopo il martirio, le spoglie di Vito furono sparse per l'Europa» spiega Santo, con la compunzione di un catechista. «Una di esse, l'osso del braccio, nel 925 fu donata dall'imperatore Enrico di Sassonia al principe Venceslao, che al nostro santo giovinetto e martire dedicò la cattedrale».

«Bene, grazie per il corso accelerato dell'università gregoriana. Ora vi faccio una domanda semplice semplice, con parole semplici semplici: voi due che minchia pensavate di fare?».

«Saverio, non ti arrabbiare» fa Peppe. «Santo pensava di prendere un pezzettino di reliquia e portarla a San Vito, così magari sua sorella otteneva il miracolo».

«Mi stai dicendo che volevate fottervi l'osso del santo?».

«Un pezzettino piccolo piccolo, quanto un'unghia» e Santo tira fuori il mignolo.

«Sì, perché Santo dice che la statua non è sufficiente per i miracoli, ci vorrebbe un pezzettino del santo vero» aggiunge Piccionello.

«Sì, un pezzettino anche piccolo piccolo» precisa il Monaco.

Mi metto le mani nei capelli. Duemila anni di storia, l'inquisizione, Lutero, il protestantesimo, la vendita delle indulgenze, la condanna della simonia, Giordano Bruno, la rivoluzione francese, Voltaire e Diderot non sono serviti a niente. È vero, l'Europa è un posto pieno di matti. Ce la meritiamo così com'è.

«La colpa non è vostra» dico. «Il problema è che siete nati in Sicilia. Se nascevate nella Svizzera calvinista una cosa così non vi poteva venire nemmeno in mente. La religione non c'entra, è solo un fatto di geografia».

Praga è veramente magica. Le luci dell'alba schiariscono la Moldava che scivola sotto i ponti, i tetti rossi, le guglie scure, i campanili, i primi tram.

Scendiamo a piedi dal Castello, attraversiamo i vicoli stretti di Hradčany. Il maresciallone si è convinto, grazie a Suleima, di avere a che fare con due idioti perfetti. Abbiamo promesso che non rimetteranno mai più piede a Praga, pur di evitare complicazioni di polizia, giudici e consolati.

Mi stringo a Suleima, tra poche ore un aereo se la riporterà a Milano, mentre a me toccherà tornare in Sicilia senza le sue gambe, senza i suoi piedi, senza il suo neo all'attaccatura delle labbra, ma in compenso con Piccionello e Santo il Monaco. Nello scambio ci perdo assai.

«Sei stata brava».

«Sei ancora molto arrabbiato?».

«Rimpiango solo che si siano perse le vecchie buone abitudini di mandare al rogo i trafficanti di reliquie».

Piccionello e Santo ci precedono di una ventina di metri, li vedo di spalle e mi sembrano abbastanza mortificati.

«Hanno fatto una fesseria, ma a fin di bene» dice Suleima.

«Guarda, ormai preferisco chi ha cattive intenzioni. Almeno le cose sono più chiare».

«L'hanno capito anche loro, vedi come sono abbacchiati».

La mortificazione ha effetti sull'appetito, infatti entrano in un panificio aperto. Piccionello ci richiama allegro dalla porta.

«Facciamo colazione?».

«Veleno ti deve fare, a te e al tuo amico santissimo».

«Dai, Saverio, facciamo pace».

«Abbiamo fatto pace. Ma non voglio vederti più fino all'ora della partenza».

Passo dritto davanti al panificio, me ne vado con Suleima per le strade acciottolate dove un tempo passarono i cavalli degli ussari e dei prussiani. Forse troppa Storia finisce per far male, a volte vorrei vivere in un posto dove la memoria degli uomini si fermi massimo a vent'anni fa. Dovevo nascere molto prima, fare l'esploratore e scoprire l'Isola di Pasqua o la Nuova Zelanda. Non so chi l'ha detto, ma senza memoria si è immortali. Il pensiero dell'eterna giovinezza mi spinge a prendere il telefono.

«Che fai?».

«Mando la mail con i codici a Randone. Non ne voglio più sapere».

Scrivo due righe di accompagnamento.

«Questi sono i codici rubati, fanne quello che vuoi».

In una vecchia sala da tè con gli stucchi dorati e gli specchi alla viennese, prendiamo cioccolata, torta e cappuccino. Vedo il profilo di Suleima riflesso nello specchio ossidato.

«Stai ferma così». E scatto una foto. Sono un uomo del mio tempo, non esiste realtà senza relativa immagine sullo smartphone.

Arriva un WhatsApp. Lo apro. Riconosco il costume bianco.

«Sei stato bravo. Ma anche io lo sono. Devi proteggere meglio la password della tua mail. Suleima è il nome della tua ragazza, no? Ciao, Larisa».

«Chi è?».

«Randone. Ha ricevuto la mail».

«Randone in costume bianco?».

«È la foto di sua moglie, pensa che posso farla trasferire da Enna».

«Lamanna, anche io ho un costume bianco. E molti amici, ricordalo».

«Hai ragione. È la bonazza, si è fregata i codici dalla mia mail. Ha scoperto la password».

«Come ha fatto?».

«In effetti era facile. È il tuo nome».

«Mi piaci quando sei geniale e imprevedibile».

Mi regala un bacio che schiocca in tutta la sala da tè, si volta pure un vecchio con gli occhiali dorati che legge Kafka in tedesco.

«Se scoprono la medicina dell'immortalità, tu vuoi stare per sempre con me?» le chiedo.

«Sempre per sempre?».

«Sì, sempre per sempre».

«Non lo so. Te lo dico fra cinquant'anni, Saverio. Ma tu vuoi stare tre ore e venti minuti con me, prima della partenza?».

«Tre ore e venti minuti per sempre?».

«Certo, tre ore e venti per sempre».

Il vecchio con gli occhiali dorati sorride. Mi piacerebbe invecchiare così, in una sala da tè. A Praga, leggendo Kafka in tedesco.

Alessandro Robecchi
Killer
(La gita in Brianza)

... di ville! di villule! di villoni ripieni, di villette isolate, di ville doppie, di case villerecce, di ville rustiche, di rustici delle ville, gli architetti pastrufaziani avevano ingioiellato, poco a poco un po' tutti, i vaghissimi e placidi colli delle pendici preandine, che manco a dirlo, «digradano dolcemente»: alle miti bacinelle dei loro laghi.

CARLO EMILIO GADDA

Ci sono davvero! Le cose, le case, proprio come durante una giornata normale. Carlo Monterossi osserva un po' stupito. Ah, quindi il mondo non inizia dopo le nove? Non montano tutto quanto ogni giorno appena lui si sveglia? Il mondo esiste anche a quell'ora da lupi?

Oscar Falcone guida piano attraverso Milano, perché è ancora quasi buio e i semafori lampeggianti alle sei del mattino possono essere trappole vietnamite. Oscar l'ha cacciato giù dal letto con una telefonata delle sue, frasi secche e monosillabi.

Lui: «Ma lo sai che ore sono?».

L'altro: «Sì, passo tra un quarto d'ora, sbrigati».

E ora sono lì che attraversano la città che dorme ancora, beata lei.

Questa faccenda di fare da chaperon a Sherlock Holmes deve finire, aveva pensato Carlo Monterossi, che intanto però si era svegliato, vestito e fatto trovare pronto al portone, dove aveva pure atteso qualche minuto in un piccolo vortice d'aria tiepida che prometteva estate.

Poi avevano fatto solo un paio di chilometri, senza che Oscar gli dicesse nulla, solo: «Mi serve un testimone, vedrai che ti diverti».

L'aria che entrava dai finestrini abbassati giocava con la cravatta di Carlo, e lui tentava di prenderla in pieno, di bersela per bene, per svegliarsi del tutto.

Si erano infilati sotto un grattacielo – nel parcheggio, erano attesi all'ascensore –, avevano percorso qualche decina di metri in verticale, poi qualche decina in orizzontale, su una moquette aziendale di livello A1. Poi erano stati passati ad altri angeli custodi, meno muscolari, questi, che gli avevano gentilmente chiesto di lasciare i telefoni e i documenti e li avevano caricati su un altro ascensore, più piccolo. Ed ora erano in un grande appartamento mirabolante nella luce dell'alba, con la città stesa sotto le sue pareti a finestra come un tappeto.

Piuttosto impressionante, pensa Carlo mentre attraversano un salone immenso, preceduti da un signore con auricolare. Mozzafiato: se dal salotto si vede il nord fino alle Alpi, magari di là, in cucina, o al cesso, puoi vedere la pianura sterminata fino alle curve dell'Appennino. Insomma, ci sarà un motivo se i potenti medievali si costruivano tutte quelle torri, no? E sapete cosa? Non hanno mai smesso.

Oscar lo guarda come per richiamarlo all'ordine: vogliamo starci con la testa o no?

Il tizio con l'auricolare parla per la prima volta:

«Il dottor Falcone e il suo assistente» dice, e poi scompare. Carlo non fa nemmeno in tempo a chiedersi: «Eh? Assistente?», che una voce riempie la stanza, e poi anche una figura.

«Scusate l'ora, signori, ma inizio una giornata impegnativa tra pochi minuti, e questo slot era l'unico disponibile per...».

Oscar annuisce.

Carlo pensa: «Slot? Ma porc...».

Però quella faccia l'ha già vista, non saprebbe associarla a un nome, così su due piedi, ma... quello che si respira, che si vede, che si tocca, il legno su cui si cammina, la luce dell'alba che entra da ogni parete e fa tutto rosa dice: soldi. Tanti.

«Accomodatevi».

Così si siedono su belle poltrone chiare e aspettano. Aspettano poco, a dire il vero, perché quello parte in quarta.

«Scuserete se arrivo subito al punto» dice il tipo. Ha la faccia sicura di sé, un fisico asciutto e tonico, una cinquantina d'anni, forse pure abbondanti, sventolati come un colpo in souplesse al torneo di tennis.

«Grazie di aver accettato questo incontro, dottor Falcone».

Oscar aspetta. Carlo si mette comodo e aspetta anche lui.

Il tipo dice ancora qualcosa su chi gli ha fatto il nome di Oscar, e quello annuisce. Poi comincia.

«Una persona che mi sta molto a cuore ha subito un furto».

Nessuno sviene per la sorpresa, e quindi va avanti.

«In strada... Stava passeggiando per il centro, via Sant'Andrea, credo, o via della Spiga, ed ecco il ladro in azione... una cosa fulminea, mi è stato riferito...».

Pareva così sicuro, in partenza, e ora si è un po' arenato. Oscar decide di tendergli una mano:

«Possiamo intanto sapere cosa è stato rubato?» chiede, calmo come un medico di guerra.

«Oh, sì, certo, scusate. Un cane».

Ora Oscar guarda il tizio con l'occhio più neutro che riesce a fare. Un cane. Un Picasso. Una macchina di lusso. Fa uno sguardo che dice: sentiamo la storia.

Carlo invece guarda Oscar e vorrebbe dire: «Un cane? Davvero? Siamo a questo? Ora ritroviamo i cani alle vecchiette?».

C'è un piccolo stallo.

«Mi rendo conto che potrebbe sembrare un caso anomalo» dice quello, che ha recuperato tutta la sua sicumera, «ma mi creda, dottor Falcone, la faccenda è piuttosto seria».

E così ha cominciato il racconto:

«Il cane, certo, una specie di botolo anche piuttosto orribile, un chihuahua o qualcosa del genere. È molto importante per la persona in questione, un vero dolore. Si chiama Killer», questo il tipo lo dice con una smorfia ironica, «avrete una foto».

Carlo si perde nell'orizzonte rosa dell'alba. E intanto pensa: «Accalappiacani?».

Oscar invece fa qualche domanda. C'è stato un contatto? Diciamo furto ma stiamo pensando rapimento?

Poi, un po' brutalmente chiede quanto può valere l'affetto del botolo Killer, intende in euro; e poi, nel caso, se si voglia pagare un riscatto o solo individuare il colpevole, e magari denunciarlo, o farlo arrestare.

Quello fa subito no, no, con le mani, e poi anche con tutto il resto:

«Denunciare? Ma no, per carità!».

Ora Oscar Falcone fa quella sua smorfia e decide che basta così.

«Dottor Marsini-Bisi, vediamo se ho capito. Una persona, con cui credo dovremo parlare in caso di incarico, subisce il furto di un cane. Lei, gentilmente, si offre di assumermi per ritrovarlo, ma il problema non è solo il cane, giusto?».

Marsini-Bisi!, pensa Carlo. Ecco, dove...

«In un certo senso...» risponde il tipo.

«Mi vorrebbe spiegare questo certo senso?».

«Va bene» dice quello, mollando finalmente gli ormeggi, «la situazione è la seguente. La persona derubata rivuole il suo cane. Io voglio sapere come mai è stato rubato proprio quel cane, se dietro il furto o il rapimento non si nascondano altri... ehm... motivi che non siano un riscatto o qualcosa del genere... diciamo che vorrei vederci chiaro».

«Posso tradurre?» chiede Oscar. Ha una faccia da schiaffi, ora.

Tutto quel potere, quel denaro, quella sensazione di onnipotenza aumentata dal sole che sembra sorgere solo per loro, non lo turba per nulla. Anche per questo è un tipo a posto, pensa Carlo.

«Dunque» comincia Oscar, che ha unito le punte delle dita come in una vaga preghiera, «vediamo se ho capito. Il furto del cane è una seccatura, e su questo siamo d'accordo. Ma lei teme che possa essere qualcosa di più di una seccatura. Diciamo che... il cane è un cane, ma la storia del cane, o di chi si è fatto fregare il cane, o di perché lei se ne occupi direttamente... ecco, quello è meglio che si risolva senza clamori, giusto?».

Il dottor Marsini-Bisi non è abituato a sentirsi parlare con quella franchezza, ma è soprattutto un operativo, quindi è disposto a passarci sopra. Prima il risultato, poi l'etichetta.

«Più o meno ha capito benissimo, Falcone».

Davanti alle poltrone c'è un tavolino in cristallo – saranno un paio d'ettari – e quello ci appoggia un foglio piegato in quattro. Sopra ci sono un nome, un indirizzo, due numeri di telefono.

«I contatti della persona derubata» dice, e fa per alzarsi dal bracciolo del divano su cui si era sportivamente appoggiato, «l'altro numero è per tenermi informato, e spero lo facciate spesso. Il resto lo avrete dai miei assistenti. Comprende un anticipo per le spese e una congrua cifra nel caso ci sia una richiesta di riscatto. E ora, mi scuserete...».

E lascia la stanza così, senza una stretta di mano, né un saluto, né un cenno del capo o una di quelle occhiate da film che uno si aspetta.

Magari uno normale no, ma Carlo Monterossi sì, e resta deluso.

All'uscita, Carlo e Oscar rientrano in possesso dei loro documenti, dei loro telefoni e di una busta gialla. Dentro ci sono ventimila euro, dieci di anticipo. Gli altri dieci, si suppone, per un eventuale riscatto.

C'è una foto del rapito, un mostriciattolo arrogante convinto di essere il re dei cani.

Poi altra moquette, altri ascensori e di nuovo in macchina, di nuovo con l'aria che entra dai finestrini, la cravatta che svolazza e un silenzio di terracotta che può andare in pezzi da un momento all'altro. E infatti.

«Poteva offrirci un caffè, almeno» dice Carlo.

Oscar frena davanti a un bar in via Filzi e fa un posteggio perfetto senza quasi guardare.

Dice:

«Che palle, Carlo, te lo offro io, il caffè».

Non è cattivo, sapete, è che sta lavorando.

Il bar è di quelli per colazioni impiegatizie, ma siccome è presto, per gli impiegati, tutto è ancora in fase di allestimento, senza ritmo, senza frenesia. Si siedono con due tazzine davanti. Oscar traffica con il suo telefono, cerca qualcosa, memorizza i numeri che copia dal foglio piegato che hanno preso lassù, nel paradiso delle aurore boreali di Milano. Allora Carlo tira fuori il suo, di telefono, e googla un nome.

Fabiano Marsini-Bisi, amministratore delegato della Banca Che Fa Tremare I Listini, sesto patrimonio immobiliare italiano, guerra in corso per il controllo, aumento di capitale in vista e, orrore, in bilico 8.400 dipendenti da licenziare entro Natale. I titoli dicono: «Marsini-

Bisi, trema la trincea europea del credito». E anche: «Bce all'attacco, il Qatar starà a guardare?». E pure: «Marsini-Bisi, l'ultima battaglia. Francesi ostili?».

Carlo dà un'occhiata alle foto: Fabiano Marsini-Bisi è nato nel '63, ha studiato alla Bocconi, poi Harvard, poi Londra, poi Bruxelles, ora Milano. Ha stock options sufficienti a comprarsi due volte il Belize, si muove su un Falcon 900 della banca, compare spesso a fianco di governatori centrali, leader politici e ministri del Tesoro.

E cerca un cane.

Oscar guarda Carlo Monterossi, ora, sembra leggergli attraverso:

«Mica cerca il cane, quello».

«No?».

«Eh, no».

Lo scatto del citofono, il portone. Poi un ascensore in legno antico che va su per nove piani, un campanello e una voce che dice: «Ecco!».

Poi la porta si apre e Carlo Monterossi si trova di fronte una donna come non ne vedeva da Miss Marzo del 2009 – o era il 2008? – del calendario Pirelli. Ma anche meglio, anche Miss Marzo e mezzo.

Oscar, naturalmente, resta impassibile e fa quel suo ghigno storto che vale come un sorriso.

Però che non era una vecchietta, quella che ha perso il cane, ora lo sanno tutti e due.

«Finisco l'allenamento, dieci minuti» dice lei. Poi fa un vago gesto verso un salone con poltrone e divani. «Servitevi pure» dice, e se ne va dentro i suoi leggins da palestra. Se ne vanno proprio insieme, stretti stretti.

«Cardiotonici ne avrebbe?» butta lì Carlo, e Oscar scuote la testa mentre si versa un succo di pompelmo da una brocca in cristallo. Non è più rosa, la luce, perché ormai sono le nove passate. Ma si vede che anche quello è un posto da albe e tramonti che mozzano il fiato. Si vede il Duomo, anzi, pare di toccarlo, anche se di mezzo c'è una fetta di Milano.

Poi lei torna. Un asciugamano su una spalla, piccole perle di sudore sulla curva del collo, la maglietta grigia chiazzata dallo sforzo. Si versa un bicchierone di un liquido arancione e dice:

«Io sono Francesca. Siete quelli del cane?». Ma non aspetta nemmeno la risposta e parla ancora lei.

Insomma, la storia era andata così, che lei si annoiava un bel po' e allora aveva preso Killer – lo teneva in una borsa da passeggio –, lo aveva vestito a festa, e lei pure non aveva proprio addosso due straccetti, ed era andata a fare due compere, giusto per svagarsi. E lì, in via della Spiga, un tizio grande e grosso l'aveva spintonata e un minuto dopo era sparito col cane in mano, tenuto quasi in un palmo, quel povero esserino. Sì, aveva tentato qualche passo di corsa, ma quando aveva raggiunto l'angolo con corso Venezia quello era già chissà dove, e lei era spaventata e vedova del cane, povero Killer.

Carlo pensa che per non fare sembrare scema una storia così devi essere un misto di Greta Garbo e Miss Marzo, ma siccome quella lo è, e anche di più, anche Greta Garbo e mezzo, decide di credere a tutto. Ora si è sciolta i capelli e la maglietta umida dice cose difficili da ripetere a parole, per cui Carlo sarebbe disposto a partire per la guerra, se lei glielo chiedesse. Anche a piedi.

Oscar appoggia il suo bicchiere su un tavolino.

«Quando, tutto questo?».

«Giovedì... l'altro ieri».

«È stata contattata?».

«Sì, ieri».

«E?».

«E niente, un messaggio su WhatsApp... anzi due... qualche scambio».

«Come ha avuto il suo numero?».

«Killer ha una targhetta d'oro attaccata al collare».

«Posso vedere i messaggi?».

Lei si alza e sparisce per un attimo. Poi torna con un cellulare e lo porge a Oscar, già aperto su una chat di WhatsApp. Oscar legge:

«Ho il tuo cane. Come cazzo lo tratti, troia? Il profumo gli fa male, ai cani!».

«Ridammi Killer, bastardo».

«Voglio 5.000, sicuri e subito. Ti dirò come».

Altri messaggi tre ore dopo. Stavolta scrive lei:

«Sarai contattato. Tratta bene il cane e forse ti faccio fare un affare».

«L'affare sono i 5.000, ma sbrigati, se no lo do da mangiare a dei cani veri».

Poi basta.

Ora Oscar la guarda dritto negli occhi. Carlo non credeva che fosse possibile senza diventare un mucchietto di cenere.

«Cosa significa quella cosa dell'affare?».

«Rivoglio il mio cane» risponde lei.

«Ha capito cosa le ho chiesto?».

«Sì, credo che 5.000 euro siano un prezzo troppo basso. Che sia un abboccamento e il tizio voglia un contatto più solido».

Per essere una che sembra Miss Marzo e tre quarti, la ragazza parla come Mata Hari. Non è quello che sembra, o forse non sembra quello che è, o... insomma, è una che ragiona, e anche in fretta, e che sa fare i conti.

Ora Carlo e Oscar si guardano. Che significa? Un contatto più solido per cosa?

Non hanno bisogno di fare altre domande, però, perché lei risponde senza che le chiedano nulla:

«Rivoglio il mio cane. E anche il collare. Ha quattordici diamanti, quasi quaranta carati e costa centottantamila euro, comprato da Löwenstein, ad Aquisgrana».

Carlo spera di aver capito male. Löwenstein è uno di quei mastri gioiellieri tedeschi che lavorano l'oro e trattano diamanti con Anversa da quando il Barbarossa la faceva nel vasino. Tiffany, in confronto, è un discount di bigiotteria.

Per questo ora c'è un certo silenzio in sala. Lei approfitta per andare a cambiarsi e quando torna, impaginata come una signora, dimostra più dei suoi ventisei anni, un quarto d'ora in più.

Carlo Monterossi è uno che si perderebbe per molto meno, ecco. Oscar, invece, ha altre domande.

«Posso chiederle in che rapporti è con il dottor Marsini-Bisi?».

«Molto amichevoli».

Lo ha detto con un tono, un sorriso e una luce negli occhi che dilatano quel «molto» fino ai confini della galassia.

«Posso chiederle di astenersi da ogni altro contatto con il... ehm... rapitore? La trattativa passa a noi... Se il tizio la contatta ancora non risponda».

Di nuovo quel sorriso, probabilmente è un sì.

Oscar annota sul telefono il numero del rapitore di cani, scrive il suo su un foglietto e lo porge alla signorina. Poi le porge pure una mano, e quella la stringe per bene. Carlo tende anche la sua, mentre dice:

«Enchanté, è la parola giusta, temo». Francesca sorride con un piccolo velo negli occhi divertiti che dice: «Amico mio, bastasse questo...».

E poi se ne vanno.

«Dottor Marsini-Bisi? Oscar Falcone, sì, volevo dirle che rinuncio all'incarico. Avverta le sue guardie, passerò tra due ore a riportare la busta con i soldi, trattengo duemila euro per il disturbo, troverà una ricevuta».

Il tono è così calmo e definitivo che quello teme che stia per mettere giù.

«Aspetti!» una piccola pausa e poi: «Posso conoscere il motivo di questa... ehm... così veloce decisione?».

«Ma certo. Se un cliente mi nasconde dettagli importanti, penso che mi stia prendendo in giro, e io sono un tipo permaloso».

«Scusi?».

«Senta, dottor Marsini, ci siamo lasciati poche ore fa e io cercavo un cane da diecimila euro. Ora invece cerco un collare di diamanti da duecentomila... per cena cosa dovrò fare, rubare la Gioconda?».

«Io... non sapevo... bisogna parlarne, sì... è entrato dal garage stamattina? Bene, lì tra un'ora, sarò nella mia macchina, le guardie saranno avvertite».

E mette giù.

Oscar getta il telefono su un divano di casa Monterossi – il salotto grande –, stizzito, ma lo riprende subito ed è già lì che parla con qualcuno, detta un numero, ringrazia, dice: «Aspetto».

Poi non aspetta più, risponde e scrive qualcosa su un foglietto, guarda Carlo e dice: «Andiamo in gita?».

Come fai con uno così? Carlo vorrebbe dire: no, no, ti serviva un testimone, mi hai tirato giù dal letto, ora ciao e buona caccia al cane, grazie di tutto. Però esita un secondo di troppo, anche meno, ma quello che basta.

«Uh, allora non vuoi ritrovare il cagnolino della signorina Francesca! Che uomo cattivo!».

Oscar ride. Carlo pensa: cos'ha da fare, dopotutto? Pianificare meglio la demolizione del proprio futuro professionale? Inventare un nuovo programma tivù per imbesuire le plebi? E in effetti, la signorina Francesca... nel caso dovesse riportarle il piccolo mostro, magari si potrebbe procurare un mantello, un cavallo bianco... il vostro cane, Donna Francesca... Sì, mi fermo volentieri per cena... In due parole: un cretino vero.

Poi Oscar gli spiega due cose: appuntamento lì tra un'ora. Lui va a parlare col banchiere.

«Metti via la busta coi soldi, non tutti, diecimila tienili in tasca. E prepara la macchina, che si parte».

«Si dorme fuori?».

«Quello può sempre darsi, se si dorme».

«E... posso sapere per dove si parte, Sherlock?».

«Per la Brianza».

«Occristo».

Carlo guida senza scatti. La macchina sa di nuovo, di cuoio dei sedili, di piccole lucine e ronzii gentili, un salotto con le ruote, confortevole, amica, manca solo il caminetto. Ora ronfa piano, come in attesa di divertirsi un po' anche lei.

Intanto hanno passato Monza.

La probabilità di investire un ciclista guidando da Milano verso un punto indistinto tra Lecco e Como, è più alta che in qualunque altra parte del pianeta. Per secoli e millenni popolazioni di stirpe celtica e germanica hanno attraversato le Alpi, spinte da guerre, carestie e pogrom, e si sono stabilite in queste terre fertilissime, metà pianura, metà contrafforti collinari, hanno imparato a lavorare il ferro, a trattare coi romani, a costruire ville per i milanesi, ad aprire fabbrichette di qualunque cosa. E al sabato vanno in bicicletta vestiti come campioni della Parigi-Roubaix, principi dell'accessorio, raso catarifrangente, su bici Bianchi o Cinelli che fanno un rumore di meccanica di precisione, bzzzz, e costano come una moto. Di quelle grosse.

Ucciderli dietro una curva, magari durante il rito del passaggio della borraccia, è un rischio altissimo. Per i milanesi diretti ai laghi – su, su, dai che arriviamo prima – è quasi un dovere civico.

E ora sono lì, su quelle curve fluide della statale 36, e Oscar racconta l'incontro.

Il banchiere, in rapida fuga da una riunione decisiva, era in maniche di camicia e cravatta Hermès, lo aveva ospitato nella sua Bentley nera ferma in garage, una guardia a poca distanza. Non sapeva del collare, la signorina gli aveva taciuto quel dettaglio trascurabile. Sì, un collare da centottantamila euro non era una piccola cosa. Il tizio aveva parlato vagamente di «capriccio» e «investimento», senza dare troppa soddisfazione alle domande di Oscar. E poi, sì, questo cambiava un po' le cose, ma non tanto. Perché ora c'era un motivo in più per tacitare tutto e chiudere la faccenda velocemente. E poi si era portato un'altra busta gialla, con dentro 150.000 euro, questa volta, e un mandato preciso: riportare il cane alla signorina, il collare a lui, e assicurarsi che la faccenda si chiuda così, che non ci sia altro.

«Cos'altro ci potrebbe essere, scusa?» chiede Carlo.

Oscar gli dà delle indicazioni vaghe sulla direzione, poi più precise, poi, quando sono sul curvone di Inverigo, dove ronzano come api le catene oliatissime dei ciclisti del sabato brianzolo, gli fa un cenno, rapido: «Esci qui».

E ora sono appena fuori dal paese, passano un laghetto artificiale, due cascine, una vecchia casa e...

«Qui».

Carlo posteggia e scendono. Oscar suona il campanello. La casa è una normalissima palazzina, di quelle che facevano corona a qualche villa padronale e che ora sembrano ville anche loro. Esce una signora sui cinquanta che si avvicina al cancello. C'è un cartello con un cane lupo e la scritta: «Siamo armati».

«Che cos'è che vogliono?» chiede la signora.

Lei sta dentro il cancello, loro fuori, parlano attraverso le sbarre.

«Cerchiamo il signor Sandro... Sandro Venegoni» dice Oscar, gentile. Carlo sta un passo indietro, non è detto che bisogna sempre sembrare caramba, anche se si gira in coppia.

La signora pare un po' costernata:

«Ma... il povero signor Sandro è morto, la settimana scorsa... l'è propi mort, se pò no sbagliass, han già fatto il funerale».

«Mi spiace» dice Oscar.

«A mi no» dice la signora, «aveva 96 anni... l'era la sua ora».

Carlo e Oscar si guardano. Oscar decide di spiegare. Non si qualifica, non inventa balle su due piedi, perché quella nemmeno ci pensa, a chiedergli chi sono.

«No, impossibile che il Sandro Venegoni ci avesse un telefonino. Figurarsi. Viveva come una pianta da qualche anno, accudito, eh, ci mancherebbe, però niente telefoni...».

«Sicura?». Oscar l'ha chiesto con il suo sorriso più rassicurante, quello che gli fa sempre la faccia da schiaffi, ma simpatica, però.

La signora, poi, pare cordiale:

«Io sono qua da... sarà un des an, e il signor Sandro l'ho mai vist uscire di casa. Non riusciva a tenere in mano il cucchiaio... credi no che el g'avess un telefono».

«E così» dice Oscar appena risalgono in macchina, «il nostro rapitore di cani e collari non è il signor Venegoni... era ovvio, ma bisognava controllare».

Carlo guida piano giù per la collina, ma invece di tornare sulla statale si mette su una provinciale che segue la valle, curve morbide, posti che si chiamano Cascina Perego, Cremnago, cartelli che indicano luoghi lontani, druidi, riti pagani, palafitte e capannoni, tipo Pomelasca, Lurago d'Erba, tra qualche chilometro e qualche centinaio di ciclisti. Il Seveso pare ancora un fiume.

Poi si fermano in un bar sulla strada. Fuori c'è il sole e sta esplodendo una volenterosissima pre-estate, dentro è gennaio appena iniziato, manca solo la neve. Bevono due caffè, rabbrividendo. Oscar apre il suo tablet e studia qualcosa con grande attenzione. Carlo guarda le foto alle pareti. Foto di ciclisti.

Poi Oscar dice: «Andiamo», e allora vanno.

Prevedibili, eh!

Avevano sei numeri da chiamare, ma ne sono bastati tre. Alla terza telefonata, al centro Tim di Costa Masnaga, molto cortesi, hanno confermato. Nemmeno mezz'ora dopo erano lì a parlare con una signorina con un naso enorme, jeans tagliati sulle ginocchia e un banchetto pieno di moduli. Sì, l'avevano fatto loro quel contratto lì del signor Venegoni. No, certo, il signore era del 1921, non era mica venuto lui, ma di sicuro c'era il suo documento, come da fotocopia, che la signorina cerca e mostra a Oscar.

«Succede spesso che mandano i figli, o i generi, o i nipoti...» dice come per giustificarsi, ma nemmeno poi tanto.

«E lei non ricorda chi è venuto a fare questo contratto per il signor Venegoni?».

«Ossignùr, no... però spetti... faccia veder la data... giovedì sera, qua dice alle 18... ah... spetti che forse mi ricordo un queicos».

Oscar aspetta, quella sembra fare uno sforzo sovrumano, come un comprimere volontà e memoria, teme che possa perdere i sensi, anche se lì faranno due tre contratti al mese, mica di più. Poi la ragazza rialza il naso e dice:

«Sì. Un signore sui quaranta, cinquant'an... mi ricordo perché ha posteggiato il furgone qui davanti, che non si può, ma gh'era nisùn, e alura...».

«Sa il nome?».

«No, mai visto... aveva il documento del nonno... l'ha dì inscì, il nonno, l'è per quel che me ricordi...».

Carlo segue da lontano, fingendo di sbirciare i nuovi modelli, le tariffe, più minuti, più giga, più giga e minuti illimitati, meno messaggi, più messaggi, e ti diamo un telefono e lo puoi cambiare tutti i giovedì, ma solo se piove.

«Com'era il furgone?».

«Giallo... no, con una scritta gialla. Il furgone era scuro».

«E ricorda la scritta?». Oscar è nella sua versione santo martire e paziente fino al logoramento dei nervi.

«Ah, no, la scritta el so no, ma c'era delle foto... sì, c'era su dei cani, mi pare».

Ora c'è una luce calda e piena, una luce che dice che tra qualche ora ci sarà un tramonto notevole, lì tra le colline che stanno diventando montagne e la pianura alle spalle, immensa, orgogliosa di cemento e tangenziali.

«Faccio notare che non abbiamo pranzato» dice Carlo.

Oscar non dice niente, pensa alle prossime mosse. Intanto scendono e risalgono per le colline, la macchina che fa le fusa come un gatto che si stira, l'aria che entra dai finestrini che porta odori di campagna, Carlo comincia ad apprezzare il viaggio, anche se non saprebbe dire con esattezza dove si trovino, nemmeno sulle mappe, nemmeno nel mondo.

Per uno che viene da Milano, la Brianza è un luogo indistinto che va più o meno da Sesto San Giovanni alle isole Svalbard, e sulle cartine dovrebbero disegnarla color sabbia, con la scritta «Hic sunt capannones». Ma non è così semplice, perché lì c'è gente scappata dagli Oròbi, e poi dai Longobardi e poi dai Franchi, dentro e fuori dalle valli a seconda di quale esercito arrivava in scampagnata. E poi bisogna metterci anche il Manzoni, e la peste, come no, e l'ingegner Gadda, impareggiabile dileggiatore, e tonnellate di commedie di bassa lega con il Cumenda e la villa in Brianza, il Ferrarino e le corna, messe e ricevute, amen.

E un sapore di incontro-scontro tra la fascia nord di Milano, un paradiso di logistica e autovelox, e questi assurdi laghetti montani dove tutti pescano trote.

Cioè: quelli che non vanno in bici vestiti e accessoriati come campioni del mondo.

Si fermano proprio lì, vicino a un laghetto con la scritta «Pesca sportiva» e un bar in legno che sembra portato dal Far West. Anche le scritte sono quelle di un saloon, ma dicono «Pub del lago», anche se il lago è solo una pozza verde. Ci sono tavolini fuori, gente che beve il primo prosecco, birrette, chiacchiere, le cinque del pomeriggio di un sabato di maggio.

Ora Oscar, la sua birra in mano, si alza dal tavolino e si avvicina a un gruppetto di persone. Sono tutti uomini, alcuni ancora vestiti da lavoro, altri che magari hanno pescato lì, o sono clienti abituali. Due ciclisti in pausa spritz. Carlo prende il suo bicchiere e si avvicina anche lui, l'aria è quella dei forestieri che chiedono informazioni. E infatti Oscar parla:

«Scusate...».

Siccome la richiesta di indicazioni stradali tra uomini sfaccendati che bevono aspettando sera può rivelarsi una cosa parecchio lunga, con discrete divagazioni su meteo, situazione politica, economica, creature femminili, calcio, trote, biciclette, turni in fabbrica, pratiche agricole, burocrazia e cibo, ecco un breve riassunto. Oscar dice che vuol comprare un cane... vedere dei cani, anzi, capire un po' come funziona, e gli hanno detto che da queste parti ci sono degli allevamenti.

Che tipo di cane? Da caccia? Difesa? Un bel lupo da lasciare in villa?

Alla fine, convocato anche l'oste, altri avventori, il ragazzo del bar e quello dei vermi (sì, uno che vende le esche ai pescatori), si addiviene al seguente verdetto: ci sono almeno tre allevamenti, in zona. Uno a Erba, appena fuori, sulla strada per Canzo, un posto famoso, storico, specializzato in cani da caccia. Uno «su di qua», che significa, crede di capire Carlo, verso Galbiate e il lago di Annone, e un altro che è più nuovo e nessuno conosce, ma si è sentito dire che sta più su, Malgrate, Pescate, quei posti lì.

Niente nomi, niente indirizzi, vaghe indicazioni date a braccio, gesti che indicano l'orizzonte, con infinità di particolari inutili o pittoreschi, descrizioni, colline e corsi d'acqua, laghi, ma niente nomi di vie, o di strade.

Forse hanno ancora paura che arrivino gli Ungari a fargli il culo, come nell'anno Mille.

E ora, siccome due dei posti che cercano sono a est e uno a ovest – quello di Erba, che sembrerebbe l'allevamento di cani più famoso – scelgono est e si rimettono in macchina verso Lecco, costeggiano il lago di Alserio, poi quello di Pusiano, mentre Oscar traffica col telefono e il computer della macchina, e Carlo si gode la guida e qualche piccolo tornante beffardo.

A quel punto Oscar si decide e manda un messaggio su WhatsApp al numero che sanno, quello intestato al fu Sandro Venegoni buonanima, che però, va detto, «l'era la sua ora».

Il messaggio dice:

«Stiamo arrivando con 5.000 euro, prepara il cane e non fare cazzate».

Poi Carlo guida e in qualche modo aspettano. Cinque minuti. Dieci. Intanto sono ad Albiate, girano intorno al paese, trovano un allevamento di cani. È una piccola costruzione a un piano, campi intorno, recinti, si sente abbaiare. Due uomini attraversano il cortile con grossi pentoloni in mano. L'ora della pappa, si vede.

Carlo e Oscar non scendono nemmeno dalla macchina, se ne stanno lì un po' distanti, nel parcheggio che in realtà è un prato, a guardare la scena, finché i due chiudono un cancello, la porta dell'ufficio, e se ne vanno su un pick-up bianco. Passando li guardano, ma senza curiosità, senza allarme, e scollinano via. Sparito il rumore del camioncino, si sentono solo gli uccellini e qualche latrato dei cani.

Ora Carlo guida ancora. Il tramonto sta per andare in scena e ogni minuto, quando si passa da una collina all'altra, quando si scende e si risale, la luce si fa più rossa, spudorata. Il lago sembra uno specchio, lucido, i bordi taglienti appoggiati alle rive come fogli di lamiera smerigliata in attesa della pressa.

E arriva un messaggio. Oscar legge e tace, sembra perplesso.

«Leggi anche a me» dice Carlo, «o devo indovinare?».

Così Oscar legge:

«Le cose sono un po' cambiate. Di soldi dovete portarne di più. Diciamo centomila, e poi magari parliamo».

I confini della Brianza sono stati per secoli definiti da una recisa negazione popolare: «No, qui non è mica Brianza!». Oppure: «Son mica brianzolo, io». Una dissociazione, da est a ovest, un ostinato, quasi offeso, declinare l'offerta. Ma qui, dove sono ora Carlo e Oscar, non si può negare. Un triangolo col vertice in basso, che sarebbe Monza, e gli altri due angoli a toccare i due rami del lago famoso, Como di qua, Lecco di là, in mezzo la città di Erba dove Oròbi e Liguri si menarono come fabbri, cazzi loro.

Ora non manca molto a Lecco e c'è tutto quello che ci deve essere: un tramonto spettacolare sulle montagne in fondo, un profumo di estate lacustre e tutta la bizzarra estetica del lombardo non padano, che anzi guarda la pianura come un posto di matti, e a Milano c'è traffico. E poi paesi, frazioni, case sparse, e chiese, e oratori, perché qui sono paganamente timorati di Dio, a cui si rimprovera, ma solo ogni tanto, di non averli creati svizzeri.

Per due volte chiedono indicazioni, e ottengono sempre cordialità e vaghi gesti verso l'orizzonte. Fa quasi buio ora, e Oscar vede un piccolo cartello. Così tornano indietro e prendono per la salita di un poggio, una strada bianca che all'improvviso si apre su una piccola radura. Giù si vede il lago come se fosse una cartolina, in alto c'è una casa mezza diroccata, qualche recinto, un cancello, un sentierino che collega tutto.

Un furgone scuro. Verde, con una scritta gialla e delle foto in decalcomania che si stanno già staccando, due cuccioli di labrador.

Non era una sosta calcolata, ma da lì, la macchina nascosta dalle fronde di un albero, hanno una visuale perfetta. Carlo spegne il motore. Stanno zitti.

Dopo qualche minuto, una figura passa sul sentiero, loro la vedono da sotto, stagliata in controluce nel cielo che ora è di un blu elettrico doloroso. Un secchio in mano, due cani che gli trottano a fianco, uno grande, uno piccolo, da lì impossibile vedere meglio.

Oscar sorride, anzi no, fa quel suo ghigno.

Prende il telefono e digita, veloce:

«Noi ci siamo».

L'uomo che cammina piano verso la casa si ferma, appoggia il secchio e si fruga nelle tasche dei pantaloni, guarda il telefono e lo rimette via.

Ora Oscar ride proprio. Carlo invece si agita:

«E adesso?».

Già, ora che l'abbiamo trovato? Ora che la caccia è finita, che si fa? Qui la pecunia, qui il cammello, anzi il cane? E se quello è armato? E se...

«Ma no!» dice Oscar. «Uno che si fa beccare così, che va in giro col furgone col suo nome sopra, non è mica un delinquente... non esperto, almeno!».

Poi mette in fila quello che sanno, è uno che alleva cani, e va bene. Che ha fatto un colpo forse senza pensarci, e va bene anche quello: un gesto un po' assurdo, anche perché uno così Oscar non se lo vede a passeggiare un giovedì pomeriggio in via della Spiga, che sarà un'ora e mezza di macchina, ma è anche lontana anni luce.

Carlo non è convinto:

«Ha cambiato idea sui soldi in poche ore. O ha parlato con qualcuno, o si è accorto che il collare vale molto, o tutte e due le cose».

Oscar annuisce: «Vedi, Carlo, che se ti applichi?... È per quello che non lo prendiamo subito».

Intanto l'uomo è entrato in casa, quando riesce con lui c'è solo il cane grande, che se ne sta lì libero intorno alla casa. Lui sale sul furgone verde e mette in moto. Allora anche Carlo fa una piccola manovra, sposta la macchina un po' fuori dalla strada, in retromarcia, dagli alberi spunta solo il muso, ma è buio, ormai, e dovrebbero essere abbastanza nascosti. Infatti due minuti dopo il furgone gli passa davanti senza vederli e scende per la strada bianca, arriva alla provinciale, gira a sinistra verso Civate. Carlo dietro, con le luci spente, prima, poi, sulla strada grande, le accende e sta a distanza.

Ora hanno alzato i finestrini, c'è una mezza luna che disegna i tornanti, i ciclisti sono tornati a casa, il furgone davanti a loro va né forte né piano, stargli dietro è facile. Poi esce dalla strada grande e prende verso Cesana Brianza, poi su verso Longone al Segrino, questo Carlo lo sa dal navigatore, perché se fosse per lui potrebbero essere nel Montana, in Ruanda, o peggio ancora, nei Grigioni. Lui gli sta dietro, a una certa distanza.

Poi il furgone si ferma davanti a una grande costruzione sulla strada, ampio parcheggio, luci, un'insegna che dice: «Il posto giusto». E poi, altre scritte: pub, ristorante, pizzeria, birreria, biliardi. Il parcheggio è quasi pieno, Carlo si mette in fondo quando il tizio del furgone è già entrato nel locale. Lui e Oscar si guardano un attimo, finché Oscar dice:

«Dai, su, andiamo a vedere chi è il misterioso consigliere del nostro rapitore di cani».

Così si mettono a un tavolino un po' in disparte. L'affollamento è per i tavoli da cui si vede la partita, c'è gente con la maglia del Milan e una birra davanti. Il loro uomo si è seduto e ha ordinato anche lui. È solo, a un tavolino scelto con cura, un po' distante dalla parte più rumorosa del locale, ma con una visuale della porta d'ingresso, del bancone, degli altri tavoli. È un uomo grosso sui quaranta, ma senza l'aria da ragazzo che hanno i quarantenni cinquanta chilometri più a sud, in città. A suo modo elegante: una giacca di velluto a coste leggera, pantaloni da lavoro che potrebbero essere da caccia, stivali. Un tipo country, ecco, appena un po' sperduto, guarda nervosamente verso la porta.

Oscar chiede una birra rossa, Carlo studia il menù e poi prende un panino: salame e peperoni sottaceto, una birra anche lui, ma bionda.

«Ti tieni leggero» dice Oscar.

Così passano un po' di tempo, a giudicare dal tepore del pubblico è un Milan-Atalanta che non sembra granché, ma loro non seguono. Il locale è pieno e vivace, tre signorine che hanno i muscoli di Tyson e la pazienza di Giobbe corrono da un tavolo all'altro con foglietti e vassoi e pinte di birra, la musica si mischia ai rumori della partita, si sta bene.

Poi succede una cosa che non passa inosservata a nessuno. Si apre la porta e tutte le teste del posto si girano. Quelle degli uomini, senza ritegno, quelle delle signore con qualche grazia in più, i baristi dietro al bancone quasi si paralizzano, sembra che tutto si sia bloccato per un secondo, una sospensione, un freeze dell'immagine.

Perché dalla porta entra lei, la signorina Francesca. I capelli biondo scuri sulle spalle, una giacca leggera e una maglietta grigia con un disegno che non si vede, jeans, stivaletti morbidi di camoscio, la borsa a tracolla portata come se fossero state progettate insieme, lei e la borsa. Si guarda in giro, finché il loro uomo le fa un cenno, lei bordeggia qualche tavolo, evita una cameriera cedendole il passo con un sorriso e si siede con lui, anche lei con le spalle alla parete, rivolta verso il centro del locale.

Da lì non può vedere Carlo e Oscar, che invece vedono tutto.

Oscar fa quel suo sorriso da sberle.

Carlo si scorda il panino, la birra, il bar, la partita, la musica che si mischia a tutto, le chiacchiere dei tavoli intorno, le pizze che arrivano al ventisei, ma avevo detto doppia mozzarella! E il ketchup? Mi porta il ketchup? Tutto sparito, tutto ingoiato da una lacerazione dello spazio-tempo, per quanto brianzolo, dove c'è solo lei, la signorina Francesca. E quell'uomo che si alza e le tiene la sedia, le stringe la mano, un po' impacciato, sorpreso. Non è che rubi un cane e poi ti aspetti che a riprenderselo arrivi Miss Portento.

Ora i due, lei e lui, la padrona del cane e il sequestratore del cane, parlano fitto, sembrano quasi cordiali, per quel che si può vedere da lì, non c'è tensione. Lei cerca di spiegargli una cosa, lui sembra dubbioso. Lei la ripete, questa volta battendo il taglio della mano sul tavolo. Lui scuote la testa, lei incrocia le braccia come se si stizzisse un po', ma non nervosa, no, solo leggermente esasperata.

Allora Oscar si alza:

«Vabbè, dai, andiamo a fare 'sto lavoro, che è tardi».

Così si alzano e si avvicinano al tavolo dei due, ognuno da una direzione diversa, e quando arrivano prendono due sedie e si accomodano come se fossero attesi, che quelli nemmeno li hanno visti arrivare.

«Disturbiamo?» dice Oscar.

«Avete già ordinato? Pare che qui è buona la polenta» dice Carlo.

L'uomo spalanca gli occhi come se cercasse qualcosa da dire, ma anche come se si aspettasse le cose peggiori del mondo, come essere stato beccato, per esempio. Lei fa una piccola risata morbida, a metà tra un «ma guarda chi c'è» e un «lo sapevo». Autocontrollo perfetto. Per il resto, silenzio, a parte un piccolo boato di voci alla loro sinistra, perché l'Atalanta ha preso un palo.

«Allora, sentite il mio piano» dice Oscar. «Ora ognuno racconta la sua parte della storia e la chiudiamo con un po' di soldi. Basta che alla fine sia tutto chiaro e semplice e senza nessuna complicazione. Quando siamo tutti contenti, la signorina prende il cane, noi il collare, e arrivederci e grazie. Soldi ne abbiamo, ma non basta chiuderla qui, dobbiamo essere certi che non si riapra».

Non si sa se hanno capito tutti. L'uomo dei cani è ancora un po' stordito. La signorina Francesca annuisce e sorride ancora: è una conclusione che le va bene, se può fare la sua proposta.

«Però andiamo con ordine» dice Oscar, e si rivolge all'uomo: «Cominci lei, com'è andata giovedì con 'sto cane?».

L'uomo pare imbarazzato, si tocca le mani, si torce un po' le dita, ma quando parla è chiaro e veloce. Ha una bella voce, anche.

«Non doveva essere così complicato...».

Insomma, lui ha questo nuovo allevamento di cani che è la sua scommessa. Lavorava da un altro, prima, quel-

251

lo grosso di Erba, ma poi aveva litigato e si era messo in proprio. Mutui e debiti e rotture di palle, permessi, la Asl... tutto il campionario, insomma, e le cose sembrava che potessero andare, ma poi c'era sempre una rogna. Giovedì era a Milano per quello: aveva venduto a un tizio quattro lupi bellissimi, giovani ma non cuccioli, già addestrati, gran bestie, sane, uno spettacolo. Quello, uno che aveva l'ufficio in via Senato, un commerciante di qualcosa, li aveva presi, per la villa, ma non aveva pagato, e allora lui era andato a cercare i suoi soldi, ma non li aveva trovati, né il tipo né i diecimila per i cani, e allora se ne stava andando via incazzato. Poi ha girato l'angolo di quella vietta là, quella col pavé e i negozi fighi, e ha visto questa tizia che sembrava uscita da una rivista, con i vestiti tutti così e 'sta borsa di pelle gialla con dentro 'sto cane che annusava l'aria. L'ha vista da dietro, seguendola, febbrile, stranito.

«È stato come un raptus, non so cos'è successo... Insomma, io avevo su venti campioni pronti da vendere, che quasi non riuscivo a dargli il pappone tutti i giorni, e poi il veterinario, e... e questa qui mi portava un animale così, profumato come una ballerina... Insomma, non so, mi ha fatto incazzare... L'ho messo sul furgone e sono tornato su, verso casa, con 'sto cane che non mi serve, ma ho visto che c'era un numero di telefono sulla targhetta, e allora...».

«Perché ha chiesto cinquemila e poi di più? Molto di più?».

Ora quello ha un sussulto, come una resipiscenza. Prima non ci aveva pensato:

«Ma voi chi siete?».

«Noi siamo quelli che pagano il riscatto e salvano il cane rapito» dice Oscar. Ma lo dice d'un fiato, con le parole, mentre invece il tono della voce dice: «Dai, su, ti ho fatto una domanda».

Allora quello va avanti. Lui un cane buono, sano, già sgrezzato... un cane che ubbidisce, lo vende bene sui tremila, se glielo pagano... E ha pensato che quel cagnetto lì, con tutta la padrona messa giù da gara, i tacchi, i gioielli, la borsa in pelle per portarlo in giro... magari poteva chiedere 5.000 senza complicazioni. Sì, certo, un reato, ma mica un reato grave, no? Che poi ai cani il profumo gli dà fastidio, e lui aveva dovuto anche lavarlo...

La signorina Francesca fa una piccola smorfia che è un'altra variante di sorriso. Carlo non riesce a staccare gli occhi. Ricorda di aver tenuto il calendario sulla pagina di marzo fino a dopo Natale, quella volta là.

«E poi?», questo è Oscar.

«E poi ho ricevuto un messaggio che diceva: forse ti faccio fare un affare, e lì ho pensato che... boh, forse avevo chiesto poco».

Ma il messaggio non aveva detto solo quello. O meglio, un altro messaggio poco dopo, aveva detto anche: guardi dentro al collare, c'è un nome scritto in oro e magari provi a mettere quel nome in un computer, veda un po' quello che viene fuori e risentiamoci. E lui lo aveva fatto, Löwenstein, Aquisgrana, e così aveva capito che quel collare orribile, praticamente un braccialetto in pelle con delle pietre, era fatto di diamanti veri, incastonati, cuciti a mano, una cosa che poteva valere come una casa, come tutto l'allevamento, come tutto il mutuo e anche un furgone nuovo, e...

Ora Carlo e Oscar guardano la signorina Francesca, cioè, Carlo non aveva mai smesso. Ma insomma, fanno una domanda senza farla. E lei parla.

Sì, in effetti era stato un regalo un po'... avventato, forse, ecco. Non proprio il suo stile, ma si scherza, anche, no? Si gioca tra innamorati. Era stato l'anno prima, in aprile. Lui, lui il banchiere Marsini-Bisi, aveva una di quelle riunioni a Francoforte da spezzare i nervi, con i suoi omologhi squali del Nord, e lei lo aveva raggiunto a sorpresa. Ma non aveva voluto stare lì, in quella città orribile, era sabato, così avevano preso una macchina e fatto un bel viaggio, ed erano finiti ad Aquisgrana. Due giorni tutti per loro, anonimi, soli, più di quanto un padrone di banche possa permettersi di solito, ed erano stati bene. Poi avevano visto quella piccola vetrina famosa, una bottega che sta nei libri di storia, e lui aveva fatto quel numero da principe nibelungo. Una sciocchezza, sì, ma comprensibile.

Carlo chiude un po' gli occhi. Comprensibile, sì. Un uomo appeso con un filo d'oro, anzi incatenato ai capricci di qualche fondo sovrano, al voto degli scalatori francesi che forse lanciano un'Opa, forse no. La Bce che chiede i conti, i concambi, i flussi, la ristrutturazione per l'aumento di capitale... da far tremare le vene ai polsi. Ma poi ti arriva in albergo questa qui e di colpo la

tua vita sembra una specie di catamarano azzurro nel-
l'oceano. Carlo non fa fatica a immaginare: la strada in
macchina, qualche bell'albergo, quella specie di relax un
po' furente un po' impigrito e orizzontale – ma anche
verticale, carpiato, sghimbescio – che un uomo e una
donna possono darsi. E poi, chissà, spossati, felici, la
passeggiata in centro, e lui che fa quella follia. Un collare, sì, un collare da centottantamila euro, con i soldi
della banca, voce: «investimenti»... devono essergli
sembrate noccioline dopo aver discusso di miliardi di
euro, fondi, linee di credito, asset finanziari...

«E quindi», parla ancora lei, con calma, come se di-
cesse la storia di un'altra, «quando ho ricevuto una ri-
chiesta di cinquemila euro ho pensato che questo era
scemo, che poteva farci molti più soldi, col povero
Killer, e che se io lo aiutavo poi si poteva dividere...
Centomila come minimo, metà per uno, lui per il col-
po, io, diciamo... per la mediazione... Cioè, questo è
stato il primo pensiero...».
«Perché, poi c'è stato un altro pensiero?» chiede
Oscar.
«Sì» dice lei.
«E quale?».
«Chiedere un milione».

Arriva da bere e quindi stanno zitti.
Il panino di Carlo non c'è, e lui non sollecita perché
gli è passata la fame.
Un milione? Eh? Cosa?

Ora che il silenzio si è messo comodo, è ora di scacciarlo.

Ma Oscar e Carlo non si sono ancora ripresi, l'uomo dei cani scuote la testa, la signorina Francesca si guarda le unghie, e decide che ci pensa lei.

«È quello di cui stavamo discutendo» dice.

Gli altri tacciono, come un invito a spiegare. E lei spiega.

«Ci ho pensato tardi, è vero... colpa mia», si morde un labbro piano, Carlo pensa che potrebbe invecchiare felice anche solo stando lì a guardarla.

«Ma insomma» comincia, «va bene il valore effettivo, che è di centottantamila, lo so perché c'ero anch'io quando abbiamo comprato il collare. Ma... poi c'è il valore di scambio, no? Mi sbaglio? E allora ho pensato che se un banchiere in bilico, di quelli che gestiscono gli affari puliti e zozzi di mezzo paese, che spostano fortune... uno così, insomma, regala alla ragazza un collare per cani da quasi duecentomila euro, insomma, magari certi azionisti pagherebbero bene per saperlo, e per mettere le mani sul collare. Quelli del Qatar, secondo me non stanno mica a vedere gli zeri sull'assegno, senza contare i francesi... Insomma, un bello scandalo, no? Ma come! Licenzi diecimila impiegati di banca, magari per far quadrare i conti ti metti a vendere titoli spazzatura alle vecchiette, e poi fai un regalo così? Con tutto che di questi tempi i banchieri non è che fanno proprio tenerezza alla gente, eh?».

«Insomma, prima ha pensato che bisognava fargli pagare i diamanti, poi ci ha pensato meglio e ha deciso che poteva pagare anche di più, diciamo... per evitare la valanga di merda».

«No, non esattamente» dice la ragazza, «questo è un ricatto, non lo farei mai a Fabiano...».

«E allora?».

«Diciamo che avrei trovato acquirenti migliori per il collare, e poi... be', chi compra ne fa ciò che vuole, no?».

Cioè, non voleva ricattarlo, ma se lo facevano gli altri... che strana etica, la ragazza.

«Io l'ho detto che era una scemenza» dice l'uomo dei cani, a disagio. «Mi sembrava già un colpo di culo quello del collare e di prendere un cinquantamila... anche se non è che ero entusiasta, che un conto è ritrovare un cane e avere la ricompensa, un altro...».

«Specie se per ritrovarlo lo si ruba» dice Carlo.

«Vabbè, ci siamo capiti» dice l'altro, «ma un milione... dai, un milione!».

Finalmente la cosa appare per quello che è: un'enormità.

La signorina Francesca alza le spalle e sbuffa. Ha ancora addosso gli occhi di Carlo Monterossi, che proprio non riesce a staccarli, ma non sembra seccata. Sembra una che dice: «Be', io ci ho provato».

E ci prova ancora:

«Ma pensateci! Un milione, trattativa veloce, riservata, metà voi due», indica Carlo e Oscar, «e metà noi, e ognuno per la sua strada».

Carlo non crede alle sue orecchie. Oscar scuote la testa con il suo sorriso della missione impossibile.

«Non funziona così».

Poi si alza e dice:

«I soldi li ho io, andiamo a prendere il cane e parliamo ancora».

Non fa nemmeno il gesto di salutare, dice solo:

«Ci vediamo su».

Carlo lo segue, zitto, pensoso. Quando sono sulla porta vedono gli altri due che si alzano dal tavolo.

Mezz'ora dopo sono sul prato accanto all'allevamento dei cani. Lei è arrivata quasi subito, il rombo gentile di un Jaguarino coupé blu scuro. Poi ecco quello col furgone, è sceso, ha aperto la porta della casa mezza diroccata. Dentro, una grande stanza, forse una cucina, un tavolo, sedie, poltrone scompagnate, una stufa, qualche scaffale. Un posto comodo, quasi bello. Il cane grande è entrato con loro, quello piccolo, dentro, salta come un ossesso, abbaiando nervoso, prima girando intorno a tutti, poi saltando in grembo alla ragazza, scodinzolando, guaendo di gioia per nulla trattenuta.

Lei dice: «Killer!», e lui tenta di baciarla in faccia, con lei che ride e lo stringe come un bambino.

Ora sono seduti attorno al tavolo. Oscar appoggia una busta gialla e dice:

«Dunque, qui ho centocinquantamila euro, più diecimila che servivano quando sembrava che bisognasse pagare solo un cane...».

L'uomo è sempre impacciato, ma vede tutti quei soldi e gli brillano gli occhi. Lui sputa sangue per mandare avanti quel posto, con cani che sono gioielli di muscoli e peli e cervello, e ora con quel mostro tascabile da salotto che scodinzola in giro può sistemare tutto. Francesca accarezza la testa di Killer, che pare gradire, e non dice niente.

Oscar fa due mucchietti. Uno con centomila euro, un altro con cinquantamila. I diecimila in più non li tira nemmeno fuori dalla busta.

«Il mio accordo è questo, non è molto trattabile, quindi ascoltate bene. Al... signore che ha così gentilmente ritrovato il cagnolino, centomila euro».

L'uomo dei cani fa una faccia incredula, ma lui continua:

«... Cinquantamila per la signorina, qui, diciamo... per aver agevolato le indagini e aiutato nella mediazione...».

La ragazza fa un sorriso sconfitto, ma incassa bene, armeggia con le dita affusolate e le unghie rosse per togliere il minuscolo collare a Killer, che le lecca le mani, grato e felice come un bambino che ha ritrovato la mamma.

Ma Oscar non ha finito.

«Il collare viene con noi, il cane va con la sua padrona... che con questo accordo accetta anche di lasciare l'appartamento di Milano... era della banca, vero?».

«Sì, ovvio» dice lei. «Già chiuso e vuoto... a disposizione degli azionisti... È il momento di cambiare aria, mi sa. La macchina la tengo, però. È intestata a me... un altro regalo, sì... E... Milano è bella, ma non ci vivrei, ecco...».

Poi fa una piccola risata amara.

Carlo si frena prima di dire:

«Ma no, che dice, forse non la conosce bene... se avesse bisogno di un posto per qualche giorno...». Invece sta zitto e fa una piccola risata anche lui. Ride di sé, almeno questo, almeno un sussulto di dignità.

L'uomo dei cani si alza, prende il suo malloppo e bofonchia qualcosa che sembra un grazie incredulo.

Poi sono fuori, davanti alla porta, con la luna che illumina le sagome di tutti, il lupo giovane che non si spiega quell'invasione notturna e gira nervoso, ma amichevole, l'uomo dei cani gli dà qualche pacca fraterna sulla testa e rimane sulla soglia.

Tutti si avviano alle macchine, poi la ragazza li chiama:

«Scusate!».

Carlo è il primo a voltarsi e a tornare indietro, fa qualche passo verso di lei...

«Senta...».

«Carlo» dice lui, come non aspettasse altro dalla scoperta del bronzo.

«Senta Carlo...», fruga nella borsa e gli porge un mazzo di chiavi, «... queste sono le chiavi dell'appartamento, non ci torno, diciamo che parto direttamente da qui...».

Ha una faccia né triste né allegra, sempre una delle cose più belle mai viste sulla Terra, pensa Carlo.

«Solo...» continua lei, «... me lo saluti, ecco, non è stato male, finché è durato... può sembrare uno stronzo, sa, ma è un uomo meno noioso della media... glielo dica se le chiede qualcosa...».

Poi fa quello che nessuno si aspettava. Prende il piccolo Killer con due mani e glielo porge, gentilmente, come una puerpera può passarti un neonato.

«Ecco, Killer lo tenga lei, lo tratti bene».

Poi si gira, fa qualche passo e sale sulla Jaguar tirata a lucido dalla luna. Mette in moto e scivola giù silenziosa per la strada sterrata.

Carlo e Oscar tornano verso Milano. La statale 36 giù per le colline, finché colline non ce n'è più, le strade diventano larghe, poi doppie, poi triple, poi cintura, poi hinterland, poi periferia e poi città. Killer ha abbaiato piano per i primi chilometri, infine si è placato e si è messo a dormire sul sedile posteriore, cullato dal rollio tranquillo del motore. Per salire nell'appartamento tutto vetri del dottor Marsini-Bisi, accompagnati da una guardia impassibile, Carlo lo tiene in braccio, poi lo lascia libero e quello li segue tranquillo e ubbidiente come se facesse parte del gruppo. Loro tre, l'investigatore Falcone, il suo assistente Monterossi, e un chihuahua malinconico e pieno di sé alto dodici centimetri.

Un paio di jeans perfetti, una camicia azzurra e un bicchiere in mano.

Li ha accolti così, il capo della Banca Che Fa Tremare I Listini, e subito ha versato da bere anche per loro. Un whisky ambrato e morbido, giapponese, una cosa che rasenta la perfezione.

Ascolta tutto il racconto di Oscar, mentre Carlo sta in piedi accanto a una delle gigantesche finestre e guarda sotto, no, non sotto, lontano, là dove la luna fa vedere la corona delle montagne, dove stavano poco fa, più o meno, o se lo immagina.

Fabiano Marsini-Bisi si limita ad annuire. Fa solo una piccola smorfia quando Oscar gli spiega che poteva andare peggio, ancora un giorno e magari il collare sarebbe finito agli emiri, o alla cordata francese, tutta gente che non avrebbe esitato a chiamare i giornali, o la Bce, o la Consob, ma più i giornali, e dire: ma guardate qui il potente banchiere che regalini faceva all'amante!

È come se in un secondo valutasse le conseguenze di quell'eventualità: lo scandalo, le dimissioni, forse il processo, certo le rogne con la giustizia e i magistrati, e poi una buonuscita ridotta, magari accompagnata da una denuncia per truffa... E tutti i cazzi suoi sui giornali, i sindacati... e... Però dice solo:

«Non ha detto dove andava, vero?».

«No, non l'ha detto» dice Oscar.

«Ha detto di dirle che è stata bene» dice Carlo restando di spalle, senza smettere di guardare fuori, come lo dicesse tra sé e sé.

Il dottor Marsini-Bisi appoggia il bicchiere e si alza. Significa che il tempo a loro disposizione è terminato. Il collare lo mette in una tasca dei pantaloni, senza nemmeno guardarlo, come fosse un fazzoletto. Dice qualcosa a Oscar, che domani avrà il suo saldo, ventimila, oltre a quello che ha già in mano, altri ventimila, se non sbaglia...

Non sbaglia.

Nemmeno mezz'ora dopo, Oscar e Carlo si salutano sotto casa di Carlo. Lui mette la macchina nel box, Oscar raggiunge la sua e sparisce nella notte.

Carlo sale le scale, con Killer che gli trotta dietro come fosse un habitué del palazzo. Poi apre la porta, toglie la giacca e apre il frigo. Katrina ha fatto il solito miracolo di vettovaglie e creazioni, e lui non mangia da chissà quando. Così porta nel salotto grande piatti e ciotole e piattini, un bicchiere e una bottiglia di bianco ghiacciato. Lui sul divano, Killer sul tappeto, mangiano in silenzio.

«Televisione?», dice Carlo. Il cane, niente.

«Un po' di musica?». Quello niente ancora.

«Uff, che noioso!» dice Carlo.

Il cane fa un giro nervoso e scodinzolante per la casa, il passo incerto ma lo sguardo attento. Poi torna, beve un po' d'acqua dalla ciotola che Carlo ha messo lì in salotto e si accoccola sul tappeto. Deve aver valutato che è il posto migliore.

«Ok, fai come fossi a casa tua» dice Carlo.

Poi spegne le luci.

Alicia Giménez-Bartlett

Un vero e proprio viaggio

Quello strano caso originò un'accesa discussione con il mio assistente, il viceispettore Garzón. Non c'era argomento al mondo su cui la pensassimo allo stesso modo, e anche quella volta non ci smentimmo. Io detestavo viaggiare e invece a lui piaceva. Per me il viaggio aveva perso tutta l'aura romantica che poteva aver avuto in passato. Da giovane ero entusiasta di visitare altri paesi, poi le ripetute delusioni avevano spento ogni mia velleità. Con questo non voglio dire di non essere stata in posti molto belli e interessanti. Quello che non sopportavo era il modo di viaggiare. Forse nella mia mente c'erano troppe fantasie letterarie. Immaginavo treni che attraversavano la steppa siberiana mentre io, accanto al finestrino, alzavo distrattamente lo sguardo dalle pagine di un libro per contemplare distese desolate e mi concedevo di tanto in tanto un calice di champagne. La realtà mi ha dimostrato che l'esperienza del viaggio non ha nulla di sublime. Viaggiare è diventato un volgare fenomeno di massa. Aeroporti sovraffollati dove si viene imbarcati come capi di bestiame, code interminabili, gruppi di turisti che bivaccano dappertutto, e un signore grasso, seduto nel posto accanto al tuo, che risolve sudoku e mastica di continuo tutte le porcherie sintetiche offerte dalle hostess. Una via crucis insensata al termine della quale, per lontano che tu vada, ti ritroverai sempre circondato dai tuoi connazionali, quando non dagli abitanti del tuo stesso quartiere.

Fermín Garzón, ovviamente, non era del mio avviso. Da quando aveva raggiunto l'agiatezza borghese grazie al matrimonio con Beatriz, i viaggi rappresentavano per lui una felice novità. E se li godeva con passione.

«Lei rischia di fare la muffa, ispettore» mi disse quel giorno. «Viaggiare è una cosa che apre lo spirito e allarga le conoscenze. Se non le piace l'aereo, può sempre viaggiare in nave. Con Beatriz abbiamo fatto crociere meravigliose. Si immagini di avere una nave enorme a sua disposizione, dove può fare tutto quello che vuole. Cenare ogni volta in un ristorante diverso, prendere il sole, andare in palestra, nuotare in piscina... E poi ci sono le serate. Io mi sono sempre divertito da matti».

«Che incubo».

«Sciocchezze. E poi l'aereo non è così spaventoso. Io mi stupisco ancora come un bambino ogni volta che mi ritrovo così lontano da casa dopo un volo di poche ore. L'inverno scorso siamo stati quindici giorni a Santo Domingo. Una magia, quei paesaggi paradisiaci dopo il traffico di Barcellona! Il nostro albergo era proprio sulla spiaggia, non siamo praticamente mai usciti. Bicchieri di piña colada in riva al mare, musica latina, un bar dove puoi ordinare da bere con l'acqua fino all'ombelico! Ah, è stato magnifico! Ho staccato così tanto dal lavoro, che rivedere l'agente Domínguez, al ritorno, mi è sembrata un'allucinazione».

«Be', se mi parla di Domínguez, non faccio fatica a crederlo» risposi. Non provai neppure a dirgli che dove lui aveva fatto una vacanza da sogno io avrei pensato tutto il tempo alla miseria in cui vivevano gli abitanti del posto. E ancor meno osai rivelargli l'idea che mi ero fatta di quel bar semisommerso che a lui era tanto piaciuto: un mucchio di pensionati semialcolizzati riuniti a buttar giù cocktail quasi letali.

In realtà non sapevo neppure come fossimo arrivati a quelle divagazioni mentre ci recavamo sul luogo dei fatti. Il caso che ci era stato affidato aveva in qualche modo a che fare con il mondo dei viaggi, ma i voli intercontinentali e le navi da crociera erano ben lontani dalla modesta realtà che ci attendeva. Il viaggio che ci avrebbe occupati non si era spinto oltre Girona, ed era avvenuto su un comunissimo autobus di linea. Nessuna avventura, nessun esotismo.

Una viaggiatrice, studentessa di medicina, era partita da Barcellona per raggiungere come ogni settimana i suoi genitori a Girona. Aveva caricato il bagaglio ed era scesa alla prima fermata della sua città. Quando era arrivata a casa e aveva aperto la valigia era rimasta inorridita. Motivo? Conteneva i resti di un corpo umano accuratamente avvolti in sacchetti di plastica. Niente male, come peso morto. Era stato il padre della ragazza a chiamare la polizia, dato che lei era in gravissimo stato di shock. Questo era tutto quel che sapevamo al momento. Parcheggiammo davanti alla casa di quella famiglia. Il commissario Coronas, il dottor Becerra e un magistrato ci vennero incontro per aggiornarci.

«La faccenda non è per niente chiara» cominciò il nostro capo. «Testa e piedi mancano all'appello, ma tutto sembra indicare che si tratti di un uomo giovane. Il giudice ha disposto che i resti vengano trasferiti a Barcellona. Il delitto è quasi certamente avvenuto là».

«C'è qualche spiegazione di come può essere successo?» domandai.

«La ragazza dice che qualcuno le ha portato via la valigia e l'ha sostituita con questa. Sostiene che la sua era perfettamente identica».

«E questo è possibile, secondo voi?» insinuò il vice-ispettore.

Coronas alzò le spalle.

«Sapete come funziona su quei pullman: l'autista apre il bagagliaio cinque minuti prima della partenza. I viaggiatori caricano le valigie per conto loro. Poi salgono dalla porta davanti e comprano il biglietto, se non lo hanno già fatto in stazione. All'arrivo, ciascuno prende le sue cose da sé, non ci sono controlli».

«Uno scambio è possibile. Ma anche ammettendo che la valigia fosse identica, la ragazza doveva accorgersi che pesava parecchio di più. Non credo che tra vestiti e altre carabattole si trascinasse dietro l'equivalente di un corpo umano» insistette Fermín.

«Non solo» intervenni. «Se qualcuno voleva liberarsi di un morto, perché prendersi la briga dello scambio? Bastava lasciare la valigia nel bagagliaio e andarsene. E poi, quale assassino poteva sapere che la ragazza viaggiava con una valigia uguale a quella che aveva usato lui per metterci il corpo?».

Coronas, come un automa programmato per ripetere sempre lo stesso gesto, tornò ad alzare le spalle.

«Questo lo lascio scoprire a voi. Il dovere di un capo è distribuire gatte da pelare perché le pelino i suoi subordinati».

«Ci faremo delle calde pelliccette di gatto, allora» sbuffò Garzón.

«Vedo che la prende con spirito. Come vi ho già accennato le indagini verranno condotte interamente da Barcellona. Farete tutti i viaggi necessari finché il caso non sarà risolto. La ragazza si chiama Marta. Marta Marzá. Per ora è in stato di fermo. Potete procedere a un primo interrogatorio conoscitivo. Appena avrete finito, un'auto la trasferirà a Barcellona. Ah, niente dichiarazioni alla stampa! Lo sapete che una città come Girona è una cassa di risonanza potentissima. Dobbiamo starci attenti. E vi raccomando il massimo tatto con i genitori. Sono isterici. È tutto chiaro?».

Garzón aspettò che il capo si fosse allontanato per dire: «Io di chiaro qui non vedo niente».

Intanto i colleghi stavano provvedendo a caricare i poveri resti sul furgone della scientifica. Il dottor Becerra non sembrava troppo contento.

«Non ho disimballato tutto quanto, ma identificarlo sarà dura. Senza la testa, non solo non abbiamo una faccia, non abbiamo neppure la dentatura. E poi ho appena intravisto una mano, le dita sembrano malcon-

ce. Se gli hanno abraso i polpastrelli... Che volete farci, vedremo. Fino a domani non vi prometto nulla. Non
è lo stesso lavorare con una bestia intera o con uno
spezzatino».

«Poteva anche essere meno crudo, no?» osservai
mentre lo vedevo salire in macchina.

«Lo sa come sono questi medici legali, Petra. Sembra che lavorino al mattatoio municipale».

Anche il magistrato non fu molto incoraggiante:

«Vi saluto. Io non c'entro più, a questo punto. Tra-
smetterò la documentazione al collega di Barcellona.
Non sapete quanto ne sia felice. Questa storia ha un
aspetto spaventoso».

Garzón ed io ci guardammo rassegnati. Ma non eravamo ancora soli. Era rimasta la coppia di agenti a custodia della ragazza. Aspettavano che avessimo finito
per portarla a Barcellona. Ma prima di vederla dove-
vamo fare il passo più difficile, parlare con i genitori.

I signori Marzá ci aspettavano nel soggiorno di casa. Diversamente da quello che aveva detto Coronas,
non sembravano particolarmente isterici, quanto abbat-
tuti, disorientati. Avevano altri due figli più piccoli, che
erano stati mandati dai nonni. Il padre era direttore di
una filiale di banca. Ci venne incontro quasi con curiosità e si rivolse subito a me:

«Ispettore, è vero che mia figlia è agli arresti?».

Non era precisamente un buon inizio per una conversazione, ma cercai di fargli vedere le cose sotto la
luce migliore.

«No, signor Marzá, non è agli arresti. Le circostanze consigliano uno stato di fermo per accertamenti, nient'altro».

«Chiamerò il mio avvocato. Mia figlia ha appena vent'anni. Non può essere interrogata in questo modo».

«Lo chiami, se lo ritiene necessario, ma sua figlia non è accusata di niente per il momento».

«Lei crede che una ragazza della sua età possa fare a pezzi un corpo, impacchettarlo e metterlo in una valigia, ispettore? Davvero lo crede pensabile?».

«Nessuno ha detto che sua figlia abbia fatto nulla di simile. Se vogliamo parlare con lei è per cercare di capire chi può aver messo un uomo fatto a pezzi dentro una valigia identica alla sua, che del resto si è portato via».

«Tutto questo è assurdo» proclamò Marzá dandosi per vinto.

«Potrei accompagnare Marta a Barcellona e stare con lei?» domandò la madre.

«Credo sia meglio che sua figlia venga da sola».

«È molto scossa».

«Non si preoccupi, sarà affiancata da una psicologa, se necessario».

Le mie parole miravano a tranquillizzarli e forse in un certo modo ci riuscirono. Se non altro sentii che mi guardavano più come una possibile alleata che come una nemica. Passai a qualche domanda sulla composizione del nucleo famigliare. Marta era la primogenita, poi veniva una sorella di due anni più piccola e infine un ragazzino ancora quattordicenne. Si autodefinirono una famiglia normale. La madre non lavorava. I ragazzi erano tranquilli e non avevano mai dato problemi. Quando volli sapere della personalità di Marta li sentii un po' tesi. Finirono per descriverla come una ragazza indipendente, socievole, forse non eccessivamente studiosa, ma normale, perfettamente normale.

L'aggettivo «normale» dev'essere il più usato nelle descrizioni di assassini e psicopatici da parte di chi non li ha mai visti in azione. Non c'è mostro sanguinario nella storia universale della criminalità che non sia stato definito «normale». Decisi che forse era meglio vedere la ragazza tra le mura del commissariato. Garzón diede istruzioni agli agenti perché la facessero salire in macchina quando noi ce ne fossimo andati.

Nel tragitto di ritorno la nostra discussione sui viaggi riprese, ma a fini più pratici. Ci dedicammo a fare congetture su quante volte ci sarebbe toccato andare e venire da Girona. L'idea non piaceva troppo a nessuno dei due.

«È che ormai non sappiamo rinunciare alla vita comoda, Fermín».

«Tutto sta nell'organizzarsi. La prossima volta saremo più preparati. Lo sa come si mangia bene da queste parti? Girona è culla di grandi cuochi».

«Qualche proposta in particolare?».

«Ora che mi ci fa pensare, è quasi ora di pranzo».

«Ma viceispettore! Stanno portando quella ragazza in commissariato, dobbiamo interrogarla, impostare le indagini... Non le sembra fuori luogo fermarsi per mettersi a tavola?».

«Cosa può esserci di fuori luogo in un'attività indispensabile come nutrirsi? Chiamo quei due e li avverto che abbiamo alcune pratiche urgenti da sbrigare. Aspetteranno. E poi può addirittura essere un bene che la ragazza faccia un po' di anticamera prima di parlare con noi. Che gliene pare? Non era lei a dire che il bello di un viaggio non è dove si va ma come lo si fa? Fermarsi per pranzo renderà il nostro viaggio un'esperienza speciale».

Mi lasciai convincere a uscire dall'autostrada e a raggiungere un ristorantino che conosceva. Ero sicura che il senso di colpa per quella mancanza di rigore poliziesco mi avrebbe rovinato il piacere del pranzo. Ma mi ero sbagliata. Il mio senso di colpa finì sepolto in una tomba di finissimi fagiolini saltati col prosciutto, sotto una lapide di saporitissimo controfiletto di bue al porto. L'iscrizione funeraria diceva: «Qui giace la colpa, sentimento aberrante e principale nemico delle donne».

Con un paio d'ore di ritardo per le urgentissime pratiche da sbrigare, e con la piacevole sensazione di aver compiuto un vero e proprio viaggio gastronomico, entrammo finalmente in commissariato. Domínguez ci venne incontro.

«A quella ragazza che hanno portato abbiamo offerto un panino, ma lei non ha voluto niente».

Il senso di colpa tornò a mordere, ma Garzón, che mi conosceva bene, lo neutralizzò dicendo:

«Meglio. Così avrà la testa sgombra per l'interrogatorio».

Quando la ebbi davanti mi parve di vedere suo padre. Gli assomigliava moltissimo. Gli stessi occhi chiari, lo stesso naso leggermente all'insù e la stessa aria di determinazione che emanava da Juan Marzá. Era seria, ma nient'affatto piangente o disperata come mi aspettavo. Mi resi conto che non sapevo da dove cominciare. Sparai nel mucchio.

«Come lo spieghi che ci fosse un cadavere nella tua valigia, Marta?».

Lei fu rapida, era molto sveglia.

«Ma quella non era la mia valigia! La mia è piena di macchie e di graffi dappertutto. Sono più di tre anni che ce l'ho. Quella del morto era nuova, dovevano averla appena comprata. Si vede benissimo».

«E tu non ti sei accorta della differenza quando l'hai presa dal bagagliaio del pullman?».

«No, era buio. L'ho tirata fuori e me ne sono andata, non mi sono fermata a guardarla».

«Che cosa avevi in valigia?».

«Vestiti, la roba da lavare della settimana, scarpe, i libri per studiare...».

«Sarai d'accordo con me sul fatto che un cadavere pesa molto di più. Non ti è sembrata troppo pesante quando l'hai presa?».

«Un po' sì, forse, ma ero stanca, non vedevo l'ora di arrivare a casa e mettermi a letto. E poi ci sono le rotelle. Ho allungato il manico e l'ho tirata».

«Com'è possibile che non ci hai fatto caso?» insistette Garzón.

«Ero mezzo intontita, sul pullman avevo dormito. Quando rientro il venerdì sera sono distrutta, gliel'ho detto. Ero convinta che fosse la mia valigia e me la sono portata via. Cos'altro dovevo fare?».

Rispondeva in tono aggressivo, ci guardava con sufficienza, come due imbecilli che fanno domande ovvie. Ripresi dall'inizio:

«Tu hai una spiegazione per quello che è successo?».

«Certo che ce l'ho! Sul pullman c'era un assassino che ha preso la mia valigia per sbaglio. A quest'ora lui chissà dov'è, con le mie mutande sporche, mentre voi insistete su cose che non hanno senso».

«Quindi per te è stata solo una coincidenza?».

«Ma è ovvio! Cosa credete, che io abbia tagliato a pezzi un uomo per portarlo a casa e farlo vedere a mamma e papà?».

«Qualcuno può aver cercato di coinvolgerti in un delitto che non hai commesso».

«Questo è un film che ha visto lei?».

Garzón perse la pazienza.

«Fai il favore di parlare all'ispettore con un po' di rispetto! Non siamo qui per giocare. È stato commesso un omicidio e il cadavere era nella tua valigia».

«Quella non era la mia valigia!» gridò lei. «Io li conosco i metodi della polizia. Voi state cercando di confondermi. Volete cogliermi in contraddizione e far ricadere su di me la colpa di una cosa che non ho fatto».

«Se questi sono i film che vedi tu, sarà meglio che cambi canale» replicò il viceispettore, vendicativo.

Ripresi le redini del discorso, abbassai la voce e le parlai con calma.

«Ti viene in mente qualcuno che potrebbe avere interesse a danneggiarti, qualche nemico personale?».

Prevedendo un'altra sbruffonata delle sue, la avvertii:

«Pensaci bene. È vero che qualunque cosa tu dica può essere usata contro di te».

Si morse la lingua e scosse la testa con decisione per farmi segno di no. Continuai:

«Pensa bene ai tuoi amici, a tutte le persone che conosci. Hai il ragazzo?».

«Non ho il ragazzo e non ho nessun nemico personale. Chi crede che frequenti, dei malavitosi?».

«Consumi droghe?».

«Certo che no! Posso andarmene?».

«Va bene. Adesso verrai interrogata da un giudice. Lui ti dirà se puoi andare a casa e a quali condizioni».

Uscì indispettita, quasi collerica. Mi voltai verso il viceispettore:

«Lei crede alle coincidenze?».

«Moltissimo. Credo anche alle streghe e agli elfi» rispose, fedele alle tradizioni della sua terra.

Marcos, mio marito, mi aspettava per cenare. Aveva preparato un arrosto che aveva tutta l'aria di essere una delizia e che purtroppo non mi sentivo di assaggiare.

«Sono stata a pranzo fuori con Garzón, oggi. E devo ammettere che abbiamo un po' ecceduto».

«Festeggiavate qualcosa?».

«No, figurati! Eravamo di ritorno da Girona per una cosa di lavoro e lui ha voluto fermarsi a tutti i costi in un ristorante. Dice che solo così il viaggio diventava un vero viaggio».

«Non capisco».

«Una scusa come un'altra per rimpinzarsi. Conosci le debolezze del mio adorato collega».

Sorrise e rimase pensieroso. Poi esclamò:

«Certo che sei fortunata, Petra! Sarà anche un mestiere terribile quello che fate, ma con il viceispettore vi siete costruiti uno spazio tutto vostro pieno di idee originali».

«Tu credi? Moriremmo se non fosse così. Ci hanno assegnato un nuovo omicidio, senza movente, senza indiziati, senza una logica né una ragione apparente».

«Dici sempre così all'inizio di un'indagine».

Quell'osservazione mi dispiacque. Il matrimonio è una cosa terribile, pensai. Quando Garzón dimostrava di conoscermi fino in fondo, ne ero lusingata. Quando capitava che lo facesse mio marito, mi sentivo criticata. Dici sempre così, fai sempre così... Ero così prevedibile? Vivere con me stava diventando noioso? Era questo il senso della sua frase? Forse no, forse voleva solo rincuorarmi. Mi versai un dito di whisky per fargli compagnia mentre cenava. Forse potevo dirgli che la vittima del nuovo caso era stata fatta a pezzi non molto più grossi dell'arrosto rimasto nella teglia. Chissà che questo non restituisse alla mia figura un che di sorprendente. Forse una cosa simile non l'avevo mai detta. Preferii rinunciare a quell'opportunità in nome della serenità domestica.

La mattina dopo, al mio arrivo in commissariato, appresi che il giudice aveva rilasciato Marta senza iscriverla nel registro degli indagati. Chissà quante volte saremmo dovuti tornare a Girona, conclusi con rassegnazione. Mi dedicai a un primo esame del telefono della ragazza, che Coronas aveva fatto recapitare sulla mia scrivania. C'erano molte chiamate e messaggi insignificanti da parte di amici e compagni di studi, maschi e femmine. Un certo Leo era tra i contatti più cercati. Presi nota di quel nome, sul quale mi proponevo di indagare più tardi. Era già in anticamera il nuovo protagonista dei nostri interrogatori: il conducente del pullman su cui aveva viaggiato la ragazza. Quando lo vidi capii che era l'anti-sospetto ideale. Sessantenne, piccolo e un po' sovrappeso, bonaccione e terribilmente addolorato dell'accaduto. Considerava un disonore che fosse successa una cosa simile a bordo di un mezzo sotto la sua responsabilità.

«Mi mancano sette mesi alla pensione. In quarant'anni di servizio mai un incidente, mai un guasto serio, mai una discussione, neppure un ubriaco rimasto addormentato nei sedili in fondo. E adesso mi infilano un poveraccio tagliato a pezzi nel bagagliaio».

Veniva voglia di consolarlo più che di farlo parlare. Alla fine tutto quello che ebbe da dirci fu scoraggiante. I biglietti non erano nominali, quindi non era possibile rintracciare i passeggeri, se non quei pochi che avevano acquistato il biglietto in stazione con una carta di credito. A bordo si accettavano solo contanti. Trovare testimoni sarebbe stato difficile. E lui non ricordava niente. Mentre venivano caricati i bagagli non si era mosso dal posto di guida. Non ricordava neppure Marta tra i passeggeri di quella sera, anche se l'aveva vista altre volte.

«Faccio la stessa linea tutti i giorni. La gente sale e scende e io vendo i biglietti o li controllo. Non guardo in faccia nessuno. Abbiate pazienza, è così».

Era talmente dispiaciuto che decidemmo di non tormentarlo oltre. Lui stesso ci accompagnò in stazione dove cercammo di capire quanti dei viaggiatori di quella sera potevano essere individuati. Pochissimi, soltanto tre. Comunicammo in commissariato i dati delle carte di credito. Poi interrogammo i passeggeri pronti a salire sui pullman per Girona. Solo una signora era partita anche lei la sera della macabra scoperta. Non ricordava niente di strano, non aveva notato nessuno caricare o scaricare un grosso trolley dal bagagliaio. Un'intera giornata buttata via. Nei giorni successivi ripetemmo l'operazione senza ottenere nulla. Era inconcepibile, i controlli d'imbarco su un aereo sono severissimi, ma su un autobus di linea chiunque potrebbe mettere una bomba in perfetta sicurezza.

Ogni sera, che piovesse o tirasse vento, quando rientravamo in commissariato trovavamo il signor Marzá ad aspettarci. Voleva notizie delle indagini. Lo pregai di lasciarci lavorare senza tenerci il fiato sul collo. Lui protestò:

«Le ricordo che mia figlia si trova coinvolta in questa storia. Marta è una ragazza straordinariamente sensibile, ne sta soffrendo moltissimo».

«Troveremo il colpevole, signor Marzá, può stare tranquillo».

Quando riuscimmo a togliercelo di torno, Garzón scosse la testa.

«Quello è capace di andarsene a raccontare fesserie in qualche programma televisivo».

«Non mi pare il tipo».

Finalmente venne il giorno in cui ci chiamarono da Medicina legale. I risultati dell'autopsia erano pronti. Uscendo intravedemmo Marzá seduto nell'atrio. Adesso non veniva più solo la sera. Lo ignorammo, non gli lanciammo neppure un cenno di saluto. Mi pare che quella volta ignorammo un paio di semafori per fare prima.

Il corpo non era di un uomo giovane come era parso al principio, ma di un tizio sulla cinquantina. Gli avevano rifilato diverse coltellate nello stomaco. E aveva i polpastrelli bruciati dall'acido. Era morto da quattro giorni, il che voleva dire che era stato ucciso poche ore prima di essere impacchettato e messo su quell'autobus. Lo squartamento era avvenuto con una normale sega elettrica, a casaccio, senza conoscenze di anatomia. Secondo il medico legale la testa era stata nascosta altrove per impedire l'identificazione. I piedi, invece, dovevano aver rappresentato un problema pratico. Forse non ci stavano nello spazio ridotto della valigia, o forse aumentavano eccessivamente il peso.

«L'assassino se li sarà tenuti per ricordo, oppure li avrà sepolti da qualche parte insieme alla capoccia» disse testualmente quell'uomo di scienza. Poi ci guardò con l'aria di chi ha tenuto in serbo l'elemento sorpresa per il finale. «Fin qui tutto quadra, no? Ma adesso vi dico la cosa più strana: il corpo non presenta tracce di droga nei tessuti e nel sangue. Eppure la pelle delle mani era letteralmente spalmata di pasta di cocaina».

Un silenzio evidenziò tutta la nostra perplessità.

«E questo cosa significa?» disse alla fine Garzón.

«Questo è quello che abbiamo riscontrato. Le conclusioni spettano a voi».

«Stava manipolando della droga prima di morire?».

«Se è così, le quantità dovevano essere ingenti, o lo faceva senza la minima precauzione. La sostanza è dappertutto, forma una specie di pellicola superficiale. Già che ci siamo, volete vedere il puzzle che abbiamo messo insieme con i resti del morto?».

Naturalmente rinunciai al privilegio di una simile visione. Il viceispettore, che ha più stomaco di me, entrò nella sala refrigerata. Quando uscì non scambiammo una mezza parola finché non entrammo in un bar e non ordinammo un caffè. Solo allora il mio assistente esclamò:

«Adesso sì che non ci capisco niente!».

«Ci capiva qualcosa prima?».

«No. Ma mi dica che cosa ci fa un narcotrafficante tagliato a pezzi nella valigia di una studentessa di medicina».

«Si limitava a essere morto. Comunque sia chi lo ha lasciato su quel pullman si è preso la valigia della ragazza. Quindi le possibilità sono due: o lei c'entra qualcosa con questa storia oppure qualcuno ha voluto metterla in mezzo».

«Ispettore, sta insinuando che la dolce Marta non è la ragazza delicata e sensibile che dipinge suo padre?».

«Lo vedremo, Garzón. Credo che a questo punto siamo costretti a rimetterci in viaggio».

«Però faremo il possibile perché sia un vero viaggio, non un banale spostamento di lavoro. Obbligatoria la sosta per il pranzo».

«Mai un'idea partita da me è stata così allegramente usata a suo vantaggio».

«Dovrebbe essere contenta».

«Chiamo Marcos per dirgli di non prepararmi la cena».

Chiamai anche il signor Marzá e la narcotici, alla quale fornii i pochi dati in nostro possesso sul presunto trafficante.

Esattamente come lo avevo pregato di fare per telefono, il signor Marzá aveva riunito tutta la famiglia. Ben lungi dall'ostacolarci, si era adoperato per venirci incontro. Ci aveva chiesto soltanto, se possibile, di lasciare fuori dagli interrogatori il figlio minore. Su questo non c'erano problemi. Ci sistemammo nel soggiorno. Interrogare i testimoni in casa loro ci garantiva un certo vantaggio, sarebbero stati più rilassati. Mentre i genitori e Marta attendevano in un'altra stanza, facemmo entrare Ángela, la sorella minore. Ángela non assomigliava per nulla a Marta, non solo fisicamente ma anche nell'atteggiamento. Se sua sorella si mostrava orgogliosa e ribelle, lei sembrava stare su un piedistallo di pacifica indifferenza, dal quale teneva tutto a distanza di sicurezza.

«Ángela, ci sono cose di tua sorella che noi non sappiamo?».

«Non so che cosa sapete».

«Te lo chiederò direttamente. Marta si droga?».

«Non credo. Non beve neppure. Lei è fissata con l'a-limentazione naturale, il biologico, quelle cose lì».

«Ha qualche genere di rapporto con il mondo della droga?».

«Non ne ho idea. Non me ne ha mai parlato. Ma lo troverei strano perché in quel mondo girano un sac-co di soldi, da quel che si vede nei film, e mia sorel-la è sempre a secco. Questo è uno dei casini che ha con mio padre. Lui non le smolla un euro più della sua paghetta».

«Uno dei casini? Possiamo sapere quali sono questi casini?».

«Soprattutto la storia dell'ucraino».

«Quale ucraino?».

«Non sapete nemmeno questo?».

«Stiamo aspettando che tu ce lo racconti».

«Marta esce con un ucraino, e questo ai miei non va giù».

«Perché?».

«Ma perché è un poveraccio. Secondo i miei una co-me Marta, che è la bella della famiglia, dovrebbe usci-re per lo meno con un principe. Le fanno un mucchio di storie, ma lei non vuole saperne di lasciarlo. Non ca-piscono che più la stressano, più lei si intestardisce con quel tipo».

«Si chiama Leo?».

«Sì».

«Sai anche il cognome?».

«Figuriamoci, mia sorella mi parla il meno possibi-le. E sulle cose private è una tomba».

A quel punto il signor Marzá era tenuto a darci qualche spiegazione. Devo ammettere che fu chiarissimo. Abbandonò i toni pacati e giunse a sfiorare l'isteria. Solo la presenza silenziosa di sua moglie, che gli toccava ogni tanto il braccio per calmarlo, impedì che desse in escandescenze.

«No, ispettore Delicado, non ve lo avevo detto perché non voglio che mia figlia mi odi. Preferisco che l'abbiate saputo da Ángela. Ma ora che lo sapete vi dico quello che penso: quel Leo è un delinquente. Ho avuto questa impressione fin dall'inizio, ma adesso non sto parlando da padre paranoico, no. Parlo con cognizione di causa. Mesi fa ho pagato un investigatore privato per avere informazioni. E sapete cos'ho scoperto sul conto di Leonid Kostantinovich? Che si guadagna da vivere spacciando. E che è stato in carcere! Un vigliacco che vende droga ed esce con mia figlia! Ma pensate che gente come noi, gente per bene, con dei princìpi, gente che lavora e non pensa ad altro che alla famiglia, si meriti una cosa del genere? E mia figlia, si merita una relazione con un avanzo di galera?».

«Sua figlia è al corrente delle attività del ragazzo?».

«Certo! Gliene ho parlato io stesso per aprirle gli occhi, ma non è servito a niente. Marta è solo una bambina, ispettore. Forse abbiamo sbagliato noi, proteggendola e mostrandole solo il lato bello della vita. Quell'uomo l'ha come soggiogata, le ha fatto il lavaggio del cervello. Mia figlia non è più lei. Spero che quest'ultimo colpo le basti per capire che razza di persona frequenta».

«Quando dice "quest'ultimo colpo" intende il cadavere nella valigia? Crede che lui c'entri in qualche modo?».

Marzá iniettò il suo sguardo nel mio come se volesse sfidarmi.

«Io non credo niente, ispettore. E lei?».

Sua moglie scoppiò a piangere. Lui dominò la sua ira per stringerla in un abbraccio.

L'ultimo interrogatorio era dedicato a Marta. Ma da lei non ricavammo che una sfilza di no. L'unica cosa che fu disposta ad ammettere era che Leo era stato nel mondo della droga. Fu attenta nella scelta del tempo verbale: «era stato». Secondo lei se ne era tirato fuori da tempo e adesso si guadagnava da vivere onestamente. Faceva il meccanico in un'officina di riparazioni.

Sulla via del ritorno procedemmo alla trasformazione del nostro spostamento in viaggio vero e proprio. Ci fermammo in un bar per camionisti vicino a uno svincolo dove, secondo le informazioni in possesso del viceispettore, si mangiava divinamente. Di lì chiamai in commissariato perché provvedessero al fermo immediato del Kostantinovich. Ordinammo *sopa de menudillos* e costolette di agnello. Capii che era tutto superlativo dalle esclamazioni estasiate del viceispettore più che dalla mia esperienza papillare. Non riuscivo a pensare ad altro che a quel brutto pastrocchio. Il fidanzato delinquente si era servito di Marta? Il tizio nella valigia era la vittima di un regolamento di conti? Strano. L'ucraino doveva sapere che mettendo nei guai la ragazza avrebbe messo nei guai soprattutto se stesso. Era così stupido da non capire che il suo nome e il suo passato sarebbero venuti a galla? Garzón, che mi conosceva bene, prese il conto dicendo:

«Lei oggi non paga. Non si è nemmeno accorta che stava mangiando».

«Veramente...».

«Lo so che cosa pensa. Qui non c'è niente che quadri, vero? E io invece ho paura che quadrerà tutto, e nel modo peggiore per noi».

«È quello che temo anch'io».

I nostri timori furono confermati. Quando lo cercarono per arrestarlo, l'uccellino aveva già preso il volo. E dallo stato in cui aveva lasciato il suo domicilio era chiaro che se ne era andato con una certa precipitazione. All'officina dove lavorava mancava da due giorni. Il titolare disse che non aveva mai dato motivo di lamentarsi, era un buon dipendente, puntuale e perfettamente normale. Ero imbestialita.

«Ci è sfuggito, Garzón, ha tagliato la corda sotto il nostro naso».

«Io, piuttosto, non capisco perché abbia aspettato tanto a filarsela».

«Non cambia nulla, ormai. Segni un punto in meno per noi».

La cosa si risolse come ci si poteva aspettare. Il giudice emise un mandato di arresto internazionale per Leonid Kostantinovich e le indagini entrarono in stallo. Con ogni probabilità tutto sarebbe finito per sempre in un cassetto.

Quella sera non vedevo l'ora di arrivare a casa per farmi un bel pianto. E infatti Marcos mi trovò chiusa in cucina in un mare di lacrime. Mi giustificai:

«Piango di delusione. Ci è scappato il colpevole».

Lui cercò di rincuorarmi con una serie di argomenti razionali: ormai ero una professionista esperta, nessuno dubitava di me, poteva capitare a tutti, non dovevo prenderla come una sconfitta personale... Lo avrei strangolato. Solo quando arrivò all'assurdo di dirmi: «Lo prenderete, lo sento», mi sentii un po' meglio. Se un uomo ragionevole come lui era capace di dire una sciocchezza pur di non vedermi soffrire, forse non mi restituiva la fiducia nelle mie capacità, ma di sicuro mi dimostrava un amore sincero. Lo abbracciai.

Seguirono giorni di deserto totale. La nostra sola incombenza era verificare giornalmente le denunce di scomparsa, nel caso che qualcuno cercasse il nostro morto della valigia. Ma niente da fare. Per il resto andavamo in commissariato ogni mattina, sbrigavamo il lavoro di routine e prendevamo il caffè fingendo che tutto fosse normale, anche se non lo era affatto. La nostra mente dava continui segnali di distrazione. Sbagliavamo le cose più stupide, dimenticavamo di stendere i rapporti per il commissario ed eravamo sempre di cattivo umore. Perfino i miei figliastri si erano accorti che il mio stato d'animo era cambiato. Ogni volta mi facevano strane domande nelle quali non era difficile cogliere preoccupazione per i miei silenzi incomprensibili, i miei improvvisi attacchi di nervi, il mio malumore generale. Marina affrontò l'argomento che nessuno di loro osava tirare fuori:

«Ma tu e papà volete divorziare?».

«Che cosa ti viene in mente, Marina? Sembra che tu non veda l'ora! Secondo te, quando qualcuno è di cattivo umore deve per forza divorziare?».

«Sai, dato che papà ha divorziato tante volte...».

«Tante quanto me».

«Infatti».

«No, non abbiamo nessuna intenzione di divorziare. Sono preoccupata per il lavoro, tutto qui».

«Meglio, i divorzi sono una gran rottura».

La vidi correre svelta in camera per mettersi in salvo dalle mie maniere brusche. Mi pentii di averle parlato tanto duramente. Magnifico! pensai. Non solo sono un poliziotto mediocre, sono diventata anche una matrigna crudele.

Quello stato di cose durò fino al venerdì successivo. Garzón ed io ci stavamo preparando a uscire.

«Che ne dice di un bicchiere prima di tornare sconfitti alle nostre case?».

Andammo alla Jarra de Oro e ordinammo due whisky. A quell'ora il bar era praticamente vuoto. Stavo commentando i fatti della giornata quando lui, alzando gli occhi verso la strada, mi interruppe per dirmi:

«Domínguez sta venendo qui. Cosa diavolo vorranno? Sono le sette e mezza, non è ora di venirci a rompere per delle cazzate».

Non era una cazzata. La gendarmeria francese aveva individuato e arrestato il Kostantinovich in una località a nord di Parigi dove si era registrato in un albergo. Sarebbe stato consegnato ai nostri colleghi nel giro di qualche ora. Credo di ricordare che non finimmo neppure il whisky e corremmo in commissariato senza pagare.

Quello che ci raccontò Coronas era inquietante. Il tipo era stato fermato con un borsone sportivo contenente quasi centomila euro in contanti. Non ce lo aspettavamo. Era stato pagato per uccidere un uomo e farlo a pezzi? Capimmo che le indagini non facevano che cominciare.

Quando ebbi davanti Leonid Kostantinovich capii benissimo perché Marta si fosse innamorata di lui. Era terribilmente bello: alto, atletico, con lineamenti scolpiti e grandi occhi azzurri magnetici. Parlava un ottimo spagnolo. Sembrava tranquillo. Forse io ero più agitata di lui.

«Vediamo, Leonid, perché ha lasciato il paese?».

«Potrei avere un tè?».

Ordinai che glielo portassero. Aspettai pazientemente. Volevo che le cose si svolgessero senza fretta, non dovevo commettere errori. Arrivò il vassoio dal bar. Lui zuccherò il suo tè, girò il cucchiaino, bevve un breve sorso e poi disse:

«Non c'è bisogno che facciate domande. Vi racconto com'è andata. Non ho alternative».

Garzón ed io ci scambiammo uno sguardo sconcertato.

«Va bene, può cominciare».

«Il signor Marzá mi ha pagato perché lasciassi il paese».

Il nostro sconcerto si trasformò in sbalordimento. Feci cenno al viceispettore di non interrompere.

«Vada avanti. La ascoltiamo».

«Lui mi detesta perché uscivo con sua figlia. Voleva liberarsi di me. Già altre volte mi aveva offerto dei soldi perché lasciassi Marta, ma non avevo accettato».

«E questa volta sì?».

«Mi ha detto che era stato ucciso un uomo. E che avrebbero accusato me. Avevano trovato il corpo nella valigia di Marta, con le mani impiastrate di droga. La polizia sapeva che avevo dei precedenti. Avrebbero fatto due più due. Mi ha detto anche che per l'ora del delitto io non avevo alibi, perché ero con Marta, e un giudice non le avrebbe mai creduto. Non potevo dimostrare la mia innocenza. Così mi ha detto».

«E chi sarebbe il morto, Leo?».

«Non lo so».

«Come, non lo sa?».

«Non me lo ha detto. Secondo i giornali il cadavere non era stato identificato. Come facevo a saperlo? Marzá è venuto da me per offrirmi altri soldi. Le cose si mettevano davvero male, allora me ne sono andato. Mi dispiaceva lasciare Marta, ma ormai era troppo pericoloso rimanere. Dopo il carcere sono rimasto sempre pulito, mi sono tenuto fuori da quegli ambienti. Ho sempre lavorato, e anche bene. Volevo sposarmi e vivere tranquillo. Ma non c'è pace per chi ha sbagliato una volta. Il tuo passato ti segue sempre, il tuo passato sei tu. Nessuno ti crede».

Quella rivelazione era così inattesa che non sapevamo come prenderla. Lo interrogammo più volte nel corso della giornata. A ore diverse, in circostanze diverse, cercando in tutti i modi di farlo cadere in contraddizione, ma non venne fuori nulla. Il viceispettore si strofinò con furia la pelata, come faceva solo in casi di estrema tensione.

«Porca miseria, Petra! La faccenda diventa sempre più complicata. Secondo lei questo è l'assassino?».

«Le risponderò con due domande. Di chi e a quale scopo? E poi, se fosse l'assassino, perché avrebbe dovuto puntarsi l'indice addosso sistemando il cadavere nella valigia della sua ragazza?».

«Le domande sono tre».

«E non abbiamo neppure una risposta».

«Allora, che cosa diavolo facciamo? Lo lasciamo andare?».

«Se ci dà una mano, sì».

Il piano era semplice. Avremmo chiesto a Leo di incontrare il padre di Marta con un microfono nascosto. Se si fosse rifiutato, sarebbe stato chiaro che la storia che ci aveva raccontato era un'invenzione. Per mettere in atto il nostro piano occorreva il consenso di Coronas e l'autorizzazione del giudice. Era indispensabile che tutto si svolgesse secondo le regole. Non sarebbe stata la prima volta che il risultato di un'indagine veniva vanificato da un vizio di forma.

Mettemmo in moto la macchina con la speranza che funzionasse. Fin da subito l'ucraino accettò, visibilmente felice della nostra proposta. Anche Coronas era contento, e il giudice non mosse una sola obiezione. Anzi, disse una cosa che mi sorprese: «Lo farei anche solo per togliermi la curiosità». Mi sembrò poco professionale, ma poi mi dissi che anche un giudice è un uomo, in fin dei conti.

Il giorno dopo venne un tecnico che applicò un microfono spia agli abiti di Leo Kostantinovich. Noi, con l'aiuto del tecnico, avremmo assistito al suo incontro con Marzá a bordo di un furgone parcheggiato poco lontano.

Ci recammo a Girona. L'ucraino raggiunse la banca dove Marzá lavorava e attese l'ora di chiusura. In quanto direttore, Marzá era sempre l'ultimo a uscire. Le sue mansioni gli imponevano di chiudere il caveau della filiale a fine giornata. Noi, stretti come sardine dentro il furgone, aspettavamo trepidanti, in perfetto silenzio. Finalmente cominciammo a udire con chiarezza la scena che si svolgeva a qualche decina di metri da noi. La voce di Marzá suonò irritata, tagliente:

«Cosa ci fai di nuovo qui?».

«Ero partito, ma...».

«Ti ho detto che non ti avrei dato un solo euro di più. Che cosa vuoi, che chiami la polizia?».

«I soldi sono al sicuro in Francia, avevo lasciato troppe cose che la polizia non deve trovare. Adesso mi servono mille euro per ripartire. Le prometto che sparirò per sempre».

«Tu sei completamente pazzo! C'è un mandato di cattura internazionale sulla tua testa. Come credi di passare il confine?».

«Sono venuto a prendere dei documenti che possono compromettere la mia famiglia. Non voglio che nessuno abbia guai per colpa mia. Adesso sono tranquillo, mi servono solo i soldi per andarmene».

Sentimmo Marzá sbuffare e imprecare. Garzón mi guardò corrugando la fronte, ma gli feci segno di aspettare.

«Non li ho mille euro con me. Seguimi nel parcheggio tra cinque minuti. Ho la macchina al terzo piano, posto 470. Ti aspetto lì».

«Ma i soldi li ha in macchina?».

«No. Ti porto da me chiuso nel bagagliaio. Li tengo in cassaforte».

«Non ci credo. Voglio sapere dove pensa di portarmi».

«Ho una casa a Castelldefels. Lì staremo tranquilli».

Non tardammo a metterci in strada anche noi seguendo il segnale della microspia. La macchina di Marzá raggiunse Castelldefels e si diresse verso un complesso residenziale sul mare. L'inverno aveva svuotato le strade, non c'era anima viva. Accostammo non appena l'auto rallentò. Udimmo uno sportello aprirsi e poi silenzio.

«Non ha fatto uscire Leo dal bagagliaio. Ho paura che aspettare diventi pericoloso. È capace di ammazzarlo».

Fermammo Marzá mentre apriva il cancello. La sua faccia era uno spettacolo, come se si vedesse piombare addosso una tonnellata di pietre, come se per lui il mondo stesse finendo in quell'istante. Fu impossibile sapere se avesse in mente di uccidere l'ucraino oppure no. A conferma del fatto che non siamo mai d'accordo su niente, Garzón era convinto di sì, mentre io ne dubitavo. I macabri ritrovamenti che facemmo nella casa facilitarono la confessione. La testa e i piedi mozzati di un uomo di mezz'età erano nel garage, dentro un congelatore.

Devo riconoscere che Marzá non era uno stupido. Solo il fattore umano lo aveva spinto a commettere l'errore destinato a tradirlo. Ma non voglio anticipare nulla. La sua versione fu questa: Herminio Casas era un trafficante di droga di medio livello. Non era schedato. Aveva il compito di portare il ricavato delle attività dell'organizzazione alla banca dove lui lavorava. Col tempo tra lui e il Casas si era creato un rapporto di confidenza, al punto che avevano deciso di «distrarre» certi fondi che finivano sui loro conti correnti privati in piena connivenza e amicizia. Ma chissà come l'organizzazione li aveva scoperti. È ovvio che il tradimento del loro uomo non fu perdonato. Il tradimento di Marzá, invece, fu ritenuto meno grave. Una lezione poteva bastare. Per questo pensarono di mollare il cadavere nella sua casa al mare, per addossargliene la colpa. È qui che entra in gioco il fattore umano. Marzá volle trarre vantaggio anche da una situazione difficile come quella facendo rimbalzare la colpa dell'omicidio sul suo nemico numero uno: l'uomo che gli aveva traviato la figlia. Così risolveva due problemi in un colpo solo: si liberava del cadavere e insieme del maledetto ucraino che minacciava il buon nome della sua famiglia. Questa era la pittoresca storia che lo scagionava dall'uccisione di quell'uomo. Per dirla con un'espressione sua, lui era solo «lo squartatore finale».

«Allucinante!» esclamò il mio collega.

Non solo allucinante, ma spaventosamente perverso, perché a metterlo in contatto con i narcotrafficanti che gli procuravano lauti guadagni era stato lo stesso Kostantinovich. Lì c'era un groviglio di colpe che non saremmo mai riusciti a districare se non fosse stato per le sue ansie di padre desideroso di proteggere la figlia. Quel padre teoricamente esemplare aveva comprato una valigia esattamente identica a quella che usava la sua figliola, vi aveva sistemato il cadavere dopo averlo fatto a pezzi e poi, travestito da donna, era andato alla stazione degli autobus a Barcellona. Lì aveva atteso che Marta sistemasse il bagaglio e salisse a bordo. Lo scambio era stato facilissimo, un gioco da bambini.

«Allucinante!» tornò a ripetere Garzón. «Quell'uomo ha un talento innato per il delitto. Ma perché è andato a ficcarsi in un casino simile? Aveva tutto questo bisogno di soldi?».

«Domanda inutile, Fermín. Tutti hanno bisogno di soldi. Pagare il mutuo, mandare i figli all'università, mantenere la casa al mare, assicurarsi una vecchiaia comoda... Quando Leo gli ha detto che certe persone di sua conoscenza volevano proporgli un affare, non ci ha pensato due volte. Money is money!».

La narcotici fu informata di tutto. Una volta identificata la vittima, non fu difficile risalire ad altri membri della banda. Uno di loro confessò parzialmente. Disse di aver liquidato Herminio per ordine dei superiori. Assicurò di non conoscere le loro identità. La narcotici non perse la speranza di riuscire a mettere le mani sui responsabili.

Ma quello non era più un problema che ci riguardasse. Nel giro di quindici giorni il nostro caso si era risolto. Tutti sembravano felici e contenti. Tutti tranne me. Ero insoddisfatta del mio fiuto poliziesco. Non avevo neppure lontanamente sospettato la verità. Garzón, come sempre molto più realistico di me, cercava di farmi ragionare:

«Lei, Petra, ha la sindrome di Sherlock Holmes. Vorrebbe che assolutamente tutti gli elementi di un caso passassero attraverso il suo cervello prima di organizzarsi in una soluzione. Lo sa benissimo che non è così. Ci siamo noi, c'è il medico legale, la scientifica, la narcotici. Siamo una squadra. Staremmo freschi se dovessimo cavarcela da soli. Non risolveremmo neppure il dieci per cento dei casi, può starne certa».

«Lo so, è vero quello che dice, Fermín. Ma mi scoccia terribilmente non aver capito fin dall'inizio che razza di disgraziato era quel Marzá. Significa che ho perso il mio fine intuito psicologico».

«Balle, ispettore! Il fatto è che ultimamente la gente, e la realtà, sta diventando molto più contorta. Prima, un tranquillo padre di famiglia con uno stipendio più che dignitoso non si lasciava tentare da una banda di narcotrafficanti. E a una ragazza di buona famiglia non veniva in mente di fidanzarsi con un ucraino uscito di galera. I tempi cambiano, caro ispettore! Andiamo di male in peggio! Troppe ansie di ricchezza, troppi film, troppi viaggi su internet. Troppa voglia di essere felici!».

«Non so se la sua analisi mi consoli o mi getti in uno sconforto ancora più profondo».

«Si tiri su, ispettore! Il commissario è contento e il giudice anche! Tutte le persone coinvolte avranno quello che si meritano. Ci rimane un'ultima gatta da pelare, ma piccola».

«Santo cielo, quale?».

«Coronas vuole che parliamo con la signora Marzá. Non sappiamo se fosse informata delle iniziative di suo marito. Ma non si preoccupi! Questo ci permetterà di fare un altro viaggio insieme, e lei muore dalla voglia di venire con me a Girona, non è vero?».

«Purché non ci andiamo in pullman e col valigione appresso».

Nessuno dei figli era in casa. La signora Marzá ci accolse con aria desolata. La sua sincerità fu disarmante. Si era resa conto che negli ultimi tempi c'erano più soldi in casa, ma non se l'era sentita di fare domande.

«Vuol dire che non era abbastanza in confidenza con suo marito per parlarne?» chiesi.

«Tra me e mio marito non c'era più un rapporto, ispettore. Da anni facevamo vite separate pur abitando nella stessa casa. Non dormivamo neppure insieme».

Cercai come potevo di rincuorarla.

«Forse, offrendo maggiori comodità alla famiglia, suo marito pensava di renderla più felice».

Quel volto pallido e inespressivo si coprì di una maschera inaspettatamente dura, quasi crudele.

«Neppure un giorno sono stata felice da quando mi sono sposata. Neppure uno». Rilassò i lineamenti e aggiunse: «Se ritenete che io abbia qualche colpa potete arrestarmi. Sarebbe un riposo per me. I miei figli sanno cavarsela da soli. Sono stanca di combattere».

Il ritorno si prospettava funereo. Avremmo trasmesso al giudice il verbale di quel breve interrogatorio e sarebbe stato lui a decidere il da farsi. Eravamo taciturni. Garzón a un certo punto disse che gli sarebbe piaciuto capire come mai quella donna era così addolorata. Mi limitai a rispondere che non volevo più saperne delle vite degli altri, almeno fino al prossimo caso. Solo in quel momento mi accorsi che il mio collega aveva imboccato una deviazione e stava accostando davanti a un ristorante.

«A quest'ora?».

«Nessun viaggio è un vero viaggio se non ci si ferma per mangiare».

I figli di mio marito appresero tutti i particolari di quella brutta vicenda dalla televisione. Come ogni volta che venivano a sapere di delitti clamorosi, o meglio, morbosi, mi chiesero se ce ne fossimo occupati io e Garzón. Non volli rispondere, solo così potevo evitare l'assillo della loro insaziabile curiosità. Per punirmi del mio silenzio mi bersagliarono di commenti stupidi per tutta la cena.

«Bel padre di famiglia!» disse Hugo.

«Ve lo immaginate papà fare a pezzi un morto?» osservò Teo estasiato.

«Papà non lo farebbe mai» replicò Marina, ansiosa di difendere suo padre.

«Lo farebbe, se tu ti fidanzassi con uno che è stato in prigione» sentenziò Hugo.

Si fece un silenzio che non avevo nessuna intenzione di rompere. Mio marito continuò a mangiare come se niente fosse. Marina, un po' offesa, volle essere rassicurata:

«Lo faresti, papà?».

Marcos finì lentamente il suo boccone e poi disse:

«Io voglio un bene immenso a Marina e mi auguro tutto il meglio per lei. Ma mai nella vita mi verrebbe in mente di fare qualcosa di illegale».

«Palle!» sbottò Teo. «Questa è la cosa più scema che ho mai sentito».

Decisi di intervenire, contrariamente al solito.

«Visto e considerato che Marina ha solo nove anni, se si fidanzasse con chiunque, con precedenti penali o senza, non solo prenderei il tipo e lo ammazzerei di botte, ma lo farei a pezzettini piccoli così. E lei la manderei in un convento».

I gemelli scoppiarono a ridere come forsennati.

«Me la vedo suor Marina che dice il rosario con il velo in testa!» berciava Teo al colmo del divertimento.

«Sei un cretino!» rispose la bambina molto offesa.

A quel punto Marcos alzò la forchetta con gesto minaccioso e attaccò il prevedibile predicozzo:

«Sono un padre di famiglia onesto e lavoratore. Desidero solo un po' di pace quando rientro stanco la sera, ma che cosa trovo? Decisamente la fortuna non è dalla mia parte. Mi siedo a tavola e i miei figli, invece di raccontare cose simpatiche e interessanti, non fanno altro che parlare di cadaveri fatti a pezzi e insultarsi fra loro. È chiaro che devo aver fatto qualcosa di terribile in una vita precedente».

«Hai ragione» concesse Hugo. «E tutto per un delitto di cui alla fine Petra non sa nulla. Vero, Petra?».

«Vero. Nulla di nulla».

Mi gettarono sguardi carichi di sospetto, ma la cena da quel punto in poi proseguì in modo normale.

Continuo a detestare i viaggi, malgrado le buone intenzioni di Garzón. E soprattutto, dopo quel caso così inquietante, ho giurato di non salire più su un pullman per tutta la mia vita.

Indice

Viaggiare in giallo

Questo volume è stato stampato
su carta Palatina
delle Cartiere di Fabriano
nel mese di maggio 2017
presso la Leva srl - Milano
e confezionato
presso IGF s.p.a. - Aldeno (TN)

La memoria